ALTERNATIEVEN VOOR ANTIBIOTICA

Dit boek is opgedragen aan vier mensen die in mijn leven een zeer belangrijke rol spelen: mijn kinderen Charity, Jackie, Marianne en David.

Dr. John McKenna

Alternatieven voor Antibiotica

De Driehoek / Amsterdam

This translation of *Alternatives to Antibiotics* first published in 1996 is published by arrangement with Gill & Macmillan Ltd, Dublin.

Omslagfoto: Will Crocker – The Image Bank

Vertaling: Daan Baldé

ISBN 90-6030-600-7 NUGI 734

Inhoud

Ten geleide 7
Voorwoord 9
Dankbetuiging 12

Inleiding 13

1. De geschiedenis van antibiotica 15
Van het begin der tijden tot de negentiende eeuw 15 / De negentiende eeuw en het begin van de twintigste eeuw 17 / Nieuwere antibiotica 23 / De toekomst 24
2. Bacteriële resistentie tegen antibiotica 25
Resistentie tegen antibiotica: is het echt een probleem? 25 / Waarom ontwikkelen bacteriën resistentie? 26 / Hoe ontwikkelen bacteriën resistentie? 32 / Heeft bacteriële resistentie altijd bestaan of hebben wij het gecreëerd? 36 / Helpen plasmiden en transposonen de bacteriën in hun strijd om het voortbestaan? 37 / De gevolgen van resistentie 38
3. Gebruik en misbruik van antibiotica 40
De afnemende werkzaamheid van antibiotica 42 / De gevaren van excessief gebruik van antibiotica 42 / Enkele antibiotica en hun specifieke problemen 44 / Misbruik van antibiotica – de oorzaken 46 / Wat moet u doen als een antibioticum moet worden gebruikt? 46
4. Conventionele en alternatieve behandelmethoden 49
De conventionele methode om infecties te behandelen 49 / De alternatieve methode om infecties te behandelen 50
5. Infecties bij kinderen 52
Infecties in de bovenste luchtwegen 52 / Infecties in de onderste luchtwegen 54/ Infecties in andere delen van het lichaam 58
6. Kruidengeneeskunde 62
Kruiden – deel van de natuurlijke energiecyclus 63 / Geneeskrachtige kruiden en synthetische medicijnen: een vergelijking 64 / Kruidengeneeskunde en intuïtie 65 / Echinacea purpurea - het immuniteitsversterkende kruid 66 / Wilde Indigo 68 / Usnea barbata - het plantaardige antibiotica 71 / Mirre 72 / Andere geneekrachtige kruiden 74 / Thuja occidentalis 75 / Esberitox - en veelbelovende nieuwe plantaardige immuniteitsversterker 77 / Immunol - een krachtige immuniteitsversterker 79
7. Homeopathische geneeskunde 82
Enkelvoudige en complexe homeopathie 82 / Het belang van homeopathische vaccinatie 89
8. Voedingstherapie 91
Water 92 / Suiker 93 / Bewerkt voedsel 96 / Biogarde 97 / Andere bacteriële supplementen 102 /

9. Voedingssupplementen 106
Vitamine C 106 / Zink – een essentieel spoorelement 112 / Persoonlijke opmerking 114
10. De rol van stress 117
Stress en infecties 117 / Bescherming tegen stress 122 / Het omgaan met stress 126

Conclusie 129
Het behandelen van een acute infectie 129 / Het gebruik van een antibioticum 130

Bibliografie 133
Register 141

Ten geleide

Ik ontmoette dr. John McKenna voor het eerst na afloop van een lezing die ik hield in Dublin. Tijdens ons gesprek vertelde John me dat hij bezig was met het schrijven van dit boek. Hij had geen beter moment kunnen kiezen om met deze publikatie te komen. Het boek voorziet duidelijk in een behoefte. Veel onderwerpen komen aan de orde, en het geeft antwoord op veel vragen.
Tegenwoordig zijn mensen zich meer dan vroeger bewust van de bijwerkingen die het gebruik van antibiotica op de lange termijn heeft. Toen ik in 1958 afstudeerde in de farmacie, was dit nog nauwelijks een onderwerp van gesprek. Dit onderwerp hield mij echter ook toen al bezig. In die tijd was er sprake van een explosieve toename van het gebruik van antibiotica, kalmeringsmiddelen en slaaptabletten. Sindsdien heeft de ontwikkeling van deze medicijnen niet stilgestaan, en als ik nu de talrijke patiënten die ik in mijn zeven Britse klinieken behandel in ogenschouw neem, is mijn zorg voor wat ik aan het eind van de jaren '50 al waarnam alleen maar toegenomen.
Dit boek beschrijft de vele alternatieven die voor het gebruik van antibiotica beschikbaar zijn. Zo heeft onderzoek aan de universiteit van München onlangs bijvoorbeeld aangetoond dat Echinacea een van de beste natuurlijke alternatieven voor antibiotica is. Mijn collega dr. Alfred Vogel, inmiddels vijfennegentig jaar oud en nog altijd een fervent skiër, propageert Echinacea al meer dan veertig jaar, en ik ben blij dat hij nu de heilzame werking van Echinacea ook wetenschappelijk bevestigd ziet. Dit onderzoek toont aan dat er wel degelijk natuurlijke manieren zijn om de afweer van het menselijk lichaam te ondersteunen en te verbeteren.
Enige tijd geleden werd ik gevraagd om een groep artsen en medisch studenten in Duitsland toe te spreken. In de lezing die ik hield over het immuunsysteem kwam ook Echinaforce, het verse kruidenextract van *Echinacea purpurea*, aan de orde. De artsen in kwestie waren zeer geïnteresseerd in de methoden die ik de afgelopen vijfendertig jaar heb gebruikt in mijn pogingen om het menselijk lijden te verlichten. Ik was zeer verheugd toen er aan het eind van mijn lezing een arts opstond die uit eigen ervaring kon bevestigen wat ik over Echinacea had gezegd. Zij vertelde dat zij, op een van haar reizen door Brazilië, een ernstige keelontsteking had opgelopen. Omdat er geen apotheek in de buurt was kon zij niet aan antibiotica komen. In plaats daarvan kocht zij toen in een winkeltje waar natuurproducten verkocht werden een flesje Echinaforce. Omdat zij eigenlijk niet zoveel vertrouwen had in de werking ervan, nam zij het dub-

bele van de aanbevolen dosis. Tot haar verrassing merkte ze dat haar keelpijn tegen de avond aanzienlijk was verminderd. Sindsdien heeft zij Echinacea aan veel van haar patiënten voorgeschreven, en met succes.
Dit helder geschreven boek geeft een overzicht van de geweldige mogelijkheden die moeder natuur ons te bieden heeft. De natuur is harmonisch en zal altijd de kracht hebben om te genezen. De vele onderwerpen die dr. John McKenna in dit boek behandelt leiden tot meer begrip en waardering voor natuurlijke geneesmiddelen. We zijn immers in de natuur geboren en moeten de wetten der natuur gehoorzamen als we gezond en fit willen blijven. Ik ben blij dat er over de hele wereld steeds meer mensen zijn die zich bewust worden van de problemen die het almaar voorschrijven van synthetische antibiotica veroorzaakt en kiezen voor alternatieve vormen van antibiotica.
Ik weet zeker dat de lezers van dit boek onder de indruk zullen zijn van het feitenmateriaal en de kennis die in deze publikatie zijn samengebracht, en daarmee hun voordeel zullen doen.
Dr. Jan de Vries

Voorwoord

Hier volgen de klinische gegevens van een veertienjarige jongen. Hij werd geboren in januari 1980. Iedere asterisk (*) geeft het gebruik van een antibioticum aan.

Datum	*Voorgeschreven medicijn*	*Soort medicijn*
09/1980*	Keflex	antibioticum
01/1981*	Septrine	antibioticum
05/1981	Piriton	antihistaminicum
07/1981*	Pen-V	antibioticum
12/1981*	Bactrim	antibioticum
01/1982*	Bactrim	antibioticum
03/1982*	Keflex	antibioticum
05/1982*	Amoxil	antibioticum
09/1982*	Penbritin	antibioticum
04/1983*	Keflex	antibioticum
04/1983*	Amoxil	antibioticum
06/1983*	Erythroped	antibioticum
08/1983*	Amoxil	antibioticum
08/1983	Hydrocortison-crème	steroïde
09/1983*	Erythroped	antibioticum
	Maxolon	medicijn tegen misselijkheid
10/1983*	Keflex	antibioticum
11/1983	Hydrocortison-crème	steroïde
12/1983	Vallergan-siroop	antihistaminicum
01/1984*	Keflex	antibioticum
04/1984*	Keflex	antibioticum
06/1984*	Keflex	antibioticum
	Alupent	bronchodilator (om de luchtwegen van astma-patiënten te verwijden)
07/1984*	Keflex	antibioticum
09/1984*	Erythroped	antibioticum
10/1984	Diprosone-crème	krachtig steroïde
11/1984	Vallergan	antihistaminicum
12/1984*	Ceporex	antibioticum

01/1985*	Ceporex	antibioticum
	Diprosone-crème	krachtig steroïde
02/1985*	Amoxil	antibioticum
06/1985*	Amoxil	antibioticum
07/1985	Triludan-siroop	antihistaminicum
09/1985*	Keflex	antibioticum
	Ventolin	bronchodilator
10/1985*	Distaclor	antibioticum
	Ventolin	bronchodilator
11/1985*	Amoxil	antibioticum
	Ventolin	bronchodilator
12/1985*	Amoxil	antibioticum
01/1986	Hydrocortison-crème	steroïde
01/1986*	Fucidine-crème	antibioticum
01/1986*	Ceporex	antibioticum
02/1986*	Keflex	antibioticum
	Ventolin	bronchodilator
03/1986	Ventolin	bronchodilator
03/1986	Ventolin	bronchodilator
04/1986	Ventolin	bronchodilator
04/1986*	Erythroped	antibioticum

Dit kind kreeg zijn eerste antibioticum met negen maanden. Nog voor zijn zevende verjaardag had hij niet minder dan *dertig* antibioticakuren ondergaan. In september 1985 stelde men vast dat hij astmatisch was.
Deze antibiotica werden voorgeschreven voor keelpijn, hoest, bronchitis en 'uit voorzorg' als het kind een piepende ademhaling had. De steroïden werden voorgeschreven voor allergische huiduitslag – mogelijk veroorzaakt door de antibiotica!
Een dergelijk onzinnig gebruik van antibiotica, de ene kuur na de andere, moet worden veroordeeld, vooral omdat het om een jong kind gaat. Het had *uw* kind geweest kunnen zijn. En deze medicijnen zijn, zoals dit boek u laat zien, verre van onschuldig.
En dit is niet eens het meest schrijnende geval dat ik ben tegengekomen! Ik ben van dergelijke zaken wel geschrokken. Ook u bent, als patiënt, ouder of geïnteresseerde lezer, hierdoor waarschijnlijk verontrust. In mijn eigen praktijk komen er steeds meer patiënten die vragen om een andere, betere manier van behandelen.
Begin 1994 hield ik een serie lezingen, getiteld *Hoe infecties te behandelen zonder antibiotica*. Deze lezingen trokken zo veel aandacht, dat het mij duidelijk werd dat grote groepen mensen veel meer over dit onderwerp wilden weten. Het was tijdens deze lezingen dat ik werd gestimuleerd om mijn gedachten op papier te zetten. Het resultaat hebt u nu in uw hand.

Ik heb het hiervoor vermelde praktijkvoorbeeld niet opgenomen om met een beschuldigende vinger te wijzen naar de medische wereld, de dokter van het kind of zijn ouders. Het is ook niet mijn bedoeling u bang te maken. Integendeel, ik wil de aandacht vestigen op de problemen die zich onvermijdelijk voordoen wanneer men infecties uitsluitend met antibiotica probeert te behandelen. Er zijn veilige, effectieve alternatieven. Geloof me, of liever nog: vorm u een eigen oordeel, neem kennis van de verschillende wetenschappelijke onderzoeken en probeer de alternatieven uit. Alleen op die manier leert u zelf, zoals ook ik heb moeten doen. Ik heb het voorrecht om geweldige patiënten gehad te hebben die me met hun begrip, vertrouwen en geduld voortdurend hebben gesteund in mijn werk. Ik heb veel van hen geleerd, vooral over mezelf, en ik ben hun daar zeer dankbaar voor.
Het praktijkvoorbeeld van deze jongen toont aan dat telkens terugkerende infecties een brede aanpak van de oorzaken vereist. Het behandelen van de symptomen alléén doet vaak meer kwaad dan goed. Het vinden van de achterliggende oorzaken is de enige manier om zo'n kind te behandelen. Het voorbeeld van dit kind toont ook de noodzaak aan van een minder klinische, en een meer humane, liefdevolle en medelevende benadering van de geneeskunde. Anders gezegd: meer met het hart en minder met het hoofd! Het hoofd zonder het hart resulteert in een vorm van geneeskunde die koud is en onverschillig staat tegenover het menselijk lijden. Het ont beert wijsheid en inzicht in de consequenties die deze behandelmethode heeft. Het wereldwijde probleem van de resistentie tegen antibiotica zou zich niet hebben voorgedaan als we ons meer hadden laten leiden door deze wijsheid en dit inzicht, en minder hadden blindgevaren op wetenschappelijke kennis. Kennis, gebaseerd op de wijsheid die ons door voorgaande generaties is doorgegeven, garandeert een toekomst. Maar om deze wijsheid te aanvaarden en te begrijpen, moet u uw hart openstellen.
Veel artsen weten weinig van alternatieve geneeskunde, maar staan al snel klaar met hun oordeel. In het Royal Victoria Hospital in Belfast hoorde ik bijvoorbeeld een chirurg uit Schotland acupunctuur afdoen als nonsens en kwakzalverij. Dat is triest om te horen! Wetenschappelijk onderzoek toont duidelijk aan dat acupunctuur werkt.
Het is belangrijk dat u en ik ons hart laten spreken en ons sterk maken voor datgene waarvan we voelen dat het goed is. Ook als dat weerstanden oproept. Het is ook belangrijk om uw dokter over te halen en iedere keer weer te vragen om veiliger geneesmiddelen. Dezelfde boodschap, als die maar vaak genoeg en door verschillende mensen wordt herhaald, heeft uiteindelijk effect. Als u zich niet laat horen, zal de geneeskunde niet veranderen. Dan worden u en uw kinderen misschien het slachtoffer van een behandeling zoals hiervoor beschreven. Het is tijd om te kiezen. Ik pleit voor een veiliger vorm van geneeskunde en een mildere benadering van patiënten. Als u hier ook een voorstander van bent, laat uw stem

dan horen. Door dit te doen geeft u verandering een kans. Ik geloof in mensen: hoe meer kennis en macht mensen hebben, des te groter de kans dat het gezonde verstand zal zegevieren. Het doel van dit boek is om mensen te informeren over de medische vraagstukken waarmee wij vandaag de dag worden geconfronteerd. Ik hoop dat u het met plezier leest en er profijt van hebt.

Dr. John McKenna

Dankbetuiging

Ik wil graag mijn goede vriend David Niket Ring bedanken voor zijn hulp tijdens een zeer moeilijke periode in mijn leven. Zijn wijsheid heeft me doen inzien hoe belangrijk het is om bepaalde stappen in het leven te zetten en veranderingen ten uitvoer te brengen. In mijn geval betrof dit het schrijven van dit boek en het naar buiten treden met mijn ideeën.

Ik wil ook graag dankzeggen aan Angela Leahy, die mij voortdurend heeft aangemoedigd en gesteund en mij met raad en daad terzijde heeft gestaan bij het schrijven van dit boek.

Dank ben ik ook verschuldigd aan Joan Deegan, de aan mijn praktijk verbonden verpleegkundige, voor het feit dat ze mij geholpen heeft om de praktijk draaiende te houden gedurende de vele uren die ik aan dit boek werkte. Haar zorg, toewijding, begrip en gezonde verstand maakten het een genoegen om met haar samen te werken.

Ook wil ik Siobhán bedanken voor de plezierige samenwerking, voor het vervangen van Joan en omdat zij het mij mogelijk maakte om mijn onderzoek binnen een niet al te lange termijn af te ronden. Dank ben ik ook verschuldigd aan John Doyle, vooral voor het lezen van het manuscript.

Ik heb nooit beseft hoe belangrijk een goede redacteur is, totdat ik werkte met Roberta Reeners en Karin Whooley. Ondanks hun beperkte kennis op het gebied van de geneeskunde hielpen ze mij om mijn boodschap op een eenvoudige en duidelijke manier over te brengen. Mijn verontschuldigingen aan Aisling Collins, omdat ik deze keer geen gebruik heb kunnen maken van haar levensechte illustraties.

Dank aan Wendy MacDonnell en aan Hansen Laboratories voor hun hulp bij mijn onderzoek, aan Merck, Sharp en Dohme voor het gebruik van *Antibiotics in Historical Perspective* en aan Schaper en Brümmer voor hun hulp bij mijn onderzoek en voor het beschikbaar stellen van dia's van bepaalde kruiden.

Ik ben al mijn patiënten dankbaar voor hun steun gedurende de afgelopen vijf jaar. Zij brachten mij op het idee om dit boek te gaan schrijven. Mijn speciale dank gaat uit naar de patiënten die toestemming gaven hun praktijkvoorbeelden te gebruiken.

De meeste dank echter ben ik verschuldigd aan mijn gezin, dat het zoveel uren zonder mijn aanwezigheid heeft moeten doen.

Inleiding

Antibiotica zijn medicijnen die worden gebruikt om infecties te behandelen. Sinds de ontdekking ervan in de jaren '40 zijn er vele soorten antibiotica ontwikkeld. Zij behoren tegenwoordig tot de meest voorgeschreven medicijnen ter wereld.

Antibiotica remmen de groei van de bacil die de ziekte veroorzaakt of doden deze. Zij zijn zeer effectief bij het bestrijden van bacteriële infecties, zoals bijvoorbeeld een door streptokokken veroorzaakte keelpijn, maar hebben *geen enkel nut* bij het behandelen van infecties die worden veroorzaakt door virussen, zoals griep of een verkoudheid.

De reputatie van antibiotica is de laatste jaren sterk ondermijnd door het massale, wereldwijde misbruik van deze medicijnen. Onderzoeken tonen aan dat resistentie tegen antibiotica hand over hand toeneemt: een probleem dat zich overal ter wereld voordoet. Omdat mensen zich hiervan en van de bijwerkingen van antibiotica steeds meer bewust worden, zoeken zij naar alternatieven. In dit boek worden deze alternatieven uitvoerig beschreven. Natuurlijke geneesmiddelen, vooral geneeskrachtige kruiden en homeopathische middelen, mogen zich in een steeds groter wordende populariteit verheugen en hernemen langzaam maar zeker hun oude plaats in de geneeskunst door de evenwichtige manier waarop zij infecties behandelen. Mensen raken steeds meer doordrongen van het belang van goede voeding en van de waarde van voedingssupplementen, vooral vitaminen en mineralen. Al deze onderwerpen, en de aan de praktijk ontleende voorbeelden van de verschillende manieren waarop infecties met natuurlijke middelen kunnen worden behandeld, maken dit boek tot een waardevol bezit voor elk gezin. Het is vooral belangrijk voor ouders van kinderen die lijden aan telkens terugkerende infecties.

Omdat dit boek geschreven is voor het grote publiek, is het zo eenvoudig mogelijk gehouden. Het gebruik van wetenschappelijk of medisch jargon is daarom zoveel mogelijk beperkt. Het is bedoeld om u te laten zien dat het mogelijk is om infecties te behandelen zonder antibiotica, maar wil niet ontkennen dat antibiotica in sommige gevallen onmisbaar zijn. Dit laatste is echter eerder uitzondering dan regel. Het boek is niet geschreven om u weg te houden bij uw dokter. Integendeel, u moet uw dokter aanmoedigen om als dat mogelijk is gebruik te maken van natuurlijke methoden.

Ik raad u aan een arts te zoeken die zowel een opleiding heeft genoten in de conventionele geneeskunde als ervaring heeft met natuurlijke geneeswijzen. Omdat veel van de in dit boek besproken geneesmiddelen alleen

op recept verkrijgbaar zijn (volgens Europese wetgeving, van kracht geworden in 1995), kunt u het beste kiezen voor een arts die bevoegd is om deze middelen voor te schrijven.
Het doel van dit boek is om wat gezond verstand terug te brengen in de klinische geneeskunde en om een mildere manier van het genezen van mensen te propageren. Het eerste deel van het boek gaat over de geschiedenis en de ontwikkeling van antibiotica, het gebruik en misbruik ervan en de veelbediscussieerde resistentie. Later behandel ik enkele veel voorkomende infecties bij kinderen. Het grootste deel van het boek is echter gewijd aan alternatieve methoden om infecties te behandelen, van kruidengeneeskunde en homeopathie tot voedingstherapie.
De voorbeelden aan de hand waarvan ik mijn persoonlijke opvatting illustreer zijn afkomstig uit mijn eigen praktijk. (Alle namen zijn veranderd om de privacy van de betrokken patiënten te waarborgen.) In het voorwoord staat een aansprekend praktijkvoorbeeld. Ik had in dit boek nog veel meer van dergelijke voorbeelden kunnen opnemen, maar heb ervoor gekozen om mij bij het aanhalen van praktijkvoorbeelden te beperken. Dit om te voorkomen dat zij mijn doel bij het schrijven van dit boek – het toelichten van de verschillende vormen van alternatieve geneeskunde bij het behandelen van infecties – naar de achtergrond dringen.

1. De geschiedenis van antibiotica

'De goudkoorts'

Van het begin der tijden tot de negentiende eeuw

De oudste sporen van mensen die planten of andere natuurlijke stoffen aanwendden voor therapeutisch gebruik stammen uit de periode van de Neanderthalers, meer dan 50.000 jaar geleden. In Noord-Irak stuitten archeologen op stoffelijke resten van mensen die waren begraven met een aantal kruiden, waarvan tegenwoordig bekend is dat zij een antibacteriële werking hebben*. Sommige van deze kruiden worden in die streek tot op de dag van vandaag gebruikt.

HONING

Het oudste recept voor het behandelen van infecties stamt uit Egypte en dateert van ongeveer 1550 v.Chr. Het recept gaf aan dat het middel bestond uit *mrht, byt* en *ftt*; het betrof een mengsel van varkensvet, honing en pluksel, dat op wonden werd gesmeerd.
We weten dat honing antibacteriële eigenschappen heeft. Het doodt bacteriële cellen door er water aan te onttrekken. Bovendien zet het enzym inhibine, dat in honing voorkomt, glucose en zuurstof om in waterstofperoxide, een bekend ontsmettingsmiddel.
Op dit moment heb ik een patiënt die oppervlakkige wonden heeft op de enkels, polsen en ellebogen. Deze wonden reageren op geen enkel antibioticum, maar wel op honing. Ik heb ontdekt dat honing ook een uitstekend middel is voor het behandelen van spataderen en zweren.
In de Romeinse tijd werd vaak *tincta in melle linamenta* aanbevolen. Dit komt in wezen overeen met het smeersel dat de Egyptenaren gebruikten, met honing als het werkzame bestanddeel. Ook de Grieken gebruikten honing voor de wondverzorging, vaak in combinatie met koperoxide.
Ook in het recente verleden, in Shanghai tijdens de Tweede Wereldoorlog, werd een smeersel van honing en varkensvet gebruikt om wonden en huidinfecties te behandelen, met zeer goede resultaten.

KNOFLOOK EN UIEN

Honing was niet de enige antibacteriële stof die door de Egyptenaren werd gebruikt. Welriekende harsen, zoals wierook en mirre, werden gebruikt om menselijke overblijfselen te conserveren. Ook werden in de lichaamsholten van mummies vaak uien aangetroffen; ook deze hebben een antibacteriële werking.

* Een antibacteriële stof is een stof die bacteriën doodt of voorkomt dat zij zich vermenigvuldigen.

In de jaren ’40 bevestigden onderzoekers de anti-infectieuze eigenschappen van uien en knoflook. Zij isoleerden uit deze gewassen een stof, genaamd allicine, die zeer effectief bleek te zijn in het doden van bacteriën.
Ook de radijs is waarschijnlijk door de Egyptenaren gebruikt voor therapeutische doeleinden. De anti-infectieuze eigenschap van deze plant werd bevestigd door de isolatie van rafanine, een stof die een duidelijk antibacteriële activiteit vertoont tegen een groot aantal infecties.

Schimmels

Het werk van Alexander Fleming in de jaren ’20 toonde aan dat schimmels, zoals *Penicillium spp.*, chemische stoffen kunnen produceren die een antibacteriële werking hebben. Maar het gebruik van schimmels dateert al uit de tijd van de Egyptenaren en misschien zelfs van nog eerder. Een Egyptische geneesheer, rond 1550 v.Chr. geciteerd in de Papyrus Ebers, schreef: ‘als een wond begint te rotten ... leg er dan beschimmeld gerstebrood op’. De Egyptenaren gebruikten inderdaad allerlei soorten schimmels om huidinfecties te behandelen. Ook de oude Chinezen gebruikten schimmels om steenpuisten, karbonkels en andere huidinfecties te behandelen.

Wijn en azijn

Geïnfecteerde wonden werden al in de tijd van Hippocrates behandeld met wijn en azijn. Azijnzuur is een krachtig antisepticum (een chemische stof die micro-organismen, inclusief virussen en bacteriën, doodt). De antibacteriële eigenschappen van wijn kunnen niet uitsluitend worden toegeschreven aan het alcoholgehalte, omdat dit zeer laag is. Recente chemische analyses van wijn hebben echter de aanwezigheid van een antibacteriële stof, genaamd malvoside, aan het licht gebracht. Vermoed wordt, dat het deze stof is, die wijn zijn antibacteriële eigenschappen verleent.

Koper

Ook anorganische stoffen zijn door de eeuwen heen gebruikt om infecties te behandelen. Koper werd veel door de Egyptenaren, Grieken en Romeinen gebruikt, vaak in combinatie met honing. Wetenschappelijk onderzoek heeft aangetoond dat koper inderdaad een antibacteriële werking heeft. Zo wordt bijvoorbeeld impetigo, een etterige huidontsteking veroorzaakt door *Staphylococcus aureus*, op het ogenblik in Frankrijk behandeld met *Eau Dalibour*, een mengsel van zink en koper. Dit recept dateert uit de tijd van Jacques Dalibour, chirurg-generaal in het leger van Lodewijk XIV. Niet uitgesloten moet echter worden dat dit middel al veel langer deel uitmaakte van de Franse volksgeneeskunde.

ANTIBIOTICA IN HET OUDE AFRIKA

In zijn boek *The Antibiotic Paradox* maakt dr. Stuart Levy melding van de recente ontdekking in Afrika van 1000 jaar oude mummies, waarop sporen van tetracycline (een hedendaags antibioticum) werden aangetroffen. Ook sommige graansoorten die door deze mensen werden gebruikt bevatten sporen van tetracycline. In grondmonsters die in dit gebied werden genomen werden micro-organismen aangetroffen, die dit antibioticum produceren. Gebruikten deze mensen tetracycline voor therapeutische doeleinden? Als dat zo is, waarom vormde bacteriële resistentie dan geen probleem voor hen? Of hadden ook zij hiermee te kampen?

De negentiende eeuw en het begin van de twintigste eeuw

GOEDE BACTERIËN

In de negentiende eeuw werden diverse experimenten gedaan, gericht op het vinden van een magische, krachtige antibacteriële stof die de mensheid zou bevrijden van de gesel van infectie. In 1877 toonden experimenten in Parijs de voordelen van het gebruik van onschuldige, 'goede' bacteriën aan om ziekteverwekkende of schadelijke bacteriën te bestrijden. Deze experimenten bewezen dat onschuldige bacteriën inderdaad gebruikt konden worden in de strijd tegen ziekteverwekkende bacteriën, hoewel zij de ziekteverwekkers niet doodden.
Eveneens in Parijs beschreef Louis Pasteur de heilzame effecten van het injecteren van dieren met onschuldige bodembacteriën om miltvuur te bestrijden. Veel andere experimenten om miltvuur en cholera te bestrijden bevestigden deze bevindingen en bewezen dat onschuldige bacteriën de groei van ziekteveroorzakende bacteriën kunnen remmen. Verderop in dit boek leest u meer over de heilzame effecten van biogarde (een yoghurt), die 'goede' bacteriën bevat. Deze 'goede' bacteriën ondersteunen het lichaam door bepaalde vitaminen te produceren, terwijl zij tegelijkertijd het lichaam beschermen tegen de groei van schadelijke, ziekteveroorzakende bacteriën.

PYOCYANASE

In Duitsland werd in 1888 een antibacteriële stof, genaamd pyocyanase, geïsoleerd. Wetenschappelijke proeven op dieren toonden aan dat deze stof zeer effectief was. De resultaten waren zo veelbelovend, dat er ook proeven werden gedaan op mensen die aan verschillende infecties leden. De resultaten van deze proeven waren echter zeer teleurstellend: pyocyanase bleek te giftig te zijn. Het gevolg was, dat het wetenschappelijk onderzoek naar deze stof werd gestaakt.

SALVARSAN

In 1910 werd aangetoond dat een veelbelovende werkzame stof, ge-

naamd salvarsan (een kleurstof), effectief was bij de behandeling van syfilis, in die tijd een veel voorkomende geslachtsziekte. Opnieuw vormde de giftigheid van de stof voor de mens een belangrijke barrière voor de ontwikkeling en het gebruik op grote schaal.
Deze giftigheid en het niet kunnen vinden van andere antimicrobiële stoffen stonden nieuwe successen in de weg. En dat leidde ertoe dat het aanvankelijke enthousiasme tijdens de zoektocht naar het wondermiddel dat de mensheid zou bevrijden van infectieziekten, die in die tijd veel mensen het leven kostten, begon te tanen.

HET PENICILLINE-TIJDPERK

Dit alles veranderde echter in 1928, toen Alexander Fleming penicilline ontdekte. Na het afronden van zijn medische studie begon dr. Fleming in 1908 met onderzoek op het gebied van de ziekteleer. Zijn vroege werk leidde tot het isoleren van lysozyme, een enzym dat voorkomt in menselijke tranen en neusslijm. Dit enzym bleek een licht antibacteriële werking te hebben, maar het was niet erg effectief tegen de meeste infecties bij mensen.
In 1928 merkte Fleming, toen hij bezig was met het kweken van *Staphylococcus spp.* op een voedingsbodem van agar-agar, dat de groei van deze bacterie werd geremd door een schimmel, waarmee de voedingsbodem per ongeluk was verontreinigd. Hij besloot de schimmel nader te onderzoeken en noemde de antibacteriële stof die de schimmel produceerde later *Penicillium notatum*. Fleming was opgewonden door deze ontdekking. Hij kweekte de schimmel in een speciale vloeistof en injecteerde de kweekvloeistof in enkele van zijn patiënten, lijdend aan verschillende infectieziekten. De resultaten waren bemoedigend, en de kweekvloeistof bleek niet giftig te zijn. Fleming had echter helaas niet genoeg van deze kweekvloeistof gemaakt. En toen hij in 1929 een voordracht hield over zijn bevindingen, waren zijn collega-medici nogal sceptisch en nauwelijks geïnteresseerd.
Er waren twee andere talentvolle onderzoekers voor nodig, dr. Florey en dr. Chain, die aan het eind van de jaren '30 en begin jaren '40 verbonden waren aan de universiteit van Oxford om het belang van dr. Flemings bevindingen in zijn ware omvang aan te tonen. Het pionierswerk dat zij verrichtten zorgde ervoor dat penicilline geschikt werd gemaakt voor klinisch gebruik.
Florey, een Australische arts, was op een studiebeurs naar Oxford gekomen om pathologie te studeren. Chain was een Duits scheikundige die in de jaren '30 voor de nazi's vluchtte en in Engeland terecht was gekomen. Florey was erop gebrand een groep onderzoekers te formeren die geïnteresseerd waren in het vinden van effectieve antibacteriële stoffen. Hij was de microbioloog en klinisch medicus, terwijl Chain als chemicus bij uit-

stek in staat was potentiële antibacteriële stoffen te isoleren, zuiveren en bestuderen. Hun onderzoeksteam bestond uit de twintig meest toonaangevende wetenschappers in Groot-Brittannië. Zij borduurden voort op de bevindingen van Alexander Fleming en werkten aan het zuiveren van penicilline en het testen van de werkzaamheid ervan.
In een van hun laboratoriumproeven injecteerde het team vijftig muizen met een dodelijke dosis *Streptococci spp.* Vijfentwintig van deze dieren kregen daarnaast penicilline-injecties. De controlegroep (de andere vijfentwintig muizen) werd niet geïnjecteerd met penicilline. Na tien dagen waren vierentwintig van de vijfentwintig met penicilline behandelde muizen nog in leven. Alle muizen van de controlegroep waren dood. Deze opzienbarende resultaten werden op 24 augustus 1940 gepubliceerd in het bekende medische tijdschrift *The Lancet*.
In 1941 paste de Oxford-groep voor het eerst penicilline bij een mens toe. De patiënt was een 43-jarige politieagent die leed aan septikemie (bloedvergiftiging). Omdat de man op sterven lag, besloten Florey en Chain de penicilline vijf dagen lang, om de drie uur, intramusculair te injecteren. Al binnen vierentwintig uur trad er een duidelijke verbetering op in de toestand van de man. Op de vierde dag was zijn koorts verdwenen en at hij weer. Na de vijfde dag was de voorraad penicilline op; direct verslechterde de toestand van de patiënt, en uiteindelijk stierf hij. Het was echter voor iedereen duidelijk dat penicilline zeer effectief was bij het bestrijden van infecties.
De volgende uitdaging van de Oxford-groep was het vinden van een manier om penicilline in grote hoeveelheden en op rendabele wijze te produceren. Alle pogingen om in Groot-Brittannië steun van het bedrijfsleven voor hun onderzoek te krijgen waren vruchteloos, en in de zomer van 1941 gingen zij naar de VS. Daar slaagden zij erin een aantal farmaceutische bedrijven, waaronder Merck, Squibb, Pfizer, Abbott, Winthrop en Commercial Solvents, te interesseren voor de industriële productie van penicilline. Het waren deze Amerikaanse farmaceutische bedrijven die het mogelijk maakten dat penicilline een veelgebruikt geneesmiddel werd.
Latere klinische experimenten leverden spectaculaire resultaten op. Penicilline bleek buitengewoon effectief te zijn tegen een groot aantal infecties, waaronder longontsteking, bloedvergiftiging, roodvonk, door streptokokken veroorzaakte keelpijn, difterie, gonorroe en acute reuma. Men was er in brede kring van overtuigd dat het elke ziekte zou kunnen genezen, een mythe die tot op de dag van vandaag voortleeft. Het nieuwe 'wondermiddel' stond in het brandpunt van de belangstelling, en in 1945 kregen Fleming, Florey en Chain gezamenlijk de Nobelprijs voor fysiologie en geneeskunde.
Penicilline werd later in orale toedieningsvorm geproduceerd en toegevoegd aan veel producten, waaronder zalven, keeltabletten, neusdruppels

en cosmetische crèmes. Vóór 1955 was de verkoop ervan niet aan voorschriften gebonden, zodat iedereen het zonder recept kon kopen. Het excessieve en ongecontroleerde gebruik dat hiervan het gevolg was leidde tot een welige groei van resistente bacteriën in de darmen (*E. coli* en *Candida spp.*). In 1955 begonnen de meeste landen de verkoop van penicilline aan banden te leggen, maar het kwaad was al geschied. Resistentie was een groot probleem geworden, en in ziekenhuizen begonnen zich epidemieën voor te doen van door stafylokokken veroorzaakte infecties die met geen enkel antibioticum konden worden bestreden.

Streptomycine

Microbiologen weten allang dat grond maar heel weinig bacteriën bevat die in staat zijn om infecties bij de mens te veroorzaken. Het onderzoek naar bodembacteriën, en het zoeken naar de oorzaken van het feit dat zij niet gevaarlijker zijn voor de mens was het levenswerk van Selman Waksman, die als wetenschappelijk onderzoeker verbonden was aan de Rutgers-universiteit in New Jersey.
In 1939 kon Waksman met financiële steun van Merck and Company een onderzoek starten naar antibiotisch werkzame stoffen in bodembacteriën. In 1943 resulteerde dit onderzoek in het isoleren van streptomycine, het eerste antibioticum dat hoop bood voor patiënten met tuberculose (tbc). Dit antibioticum wordt ook vandaag de dag nog gebruikt bij de behandeling van tbc. Na klinisch gebruik bij tbc-patiënten ontdekte men al gauw dat streptomycine bijwerkingen veroorzaakte die zich niet voordeden bij penicilline, waaronder beschadiging van de nieren en doofheid. Het belangrijkste probleem dat zich bij het gebruik van streptomycine echter voordeed, en dat de effectiviteit ervan beperkte, was de resistentie. De snelheid waarmee bacteriën in staat waren resistentie te ontwikkelen tegen het medicijn was voor Waksman en zijn medewerkers een onaangename verrassing. Daarom waren zij genoodzaakt om op zoek te gaan naar andere antibiotica. Deze zoektocht resulteerde in de ontwikkeling van neomycine, een stof die tegenwoordig vaak wordt gebruikt in antibacteriële zalven.

Chlooramfenicol

Aan het eind van 1947 werd het antibioticum chlooramfenicol gebruikt in een klinisch experiment om een tyfusepidemie in Bolivia te bestrijden. Het succes ervan bij het beteugelen van de epidemie leidde tot het gebruik ervan aan de andere kant van de wereld – bij de bestrijding van vlektyfus in Maleisië.
Bij de epidemie in Bolivia herstelden alle tweeëntwintig patiënten die met chlooramfenicol waren behandeld. Van de vijftig patiënten voor wie het antibioticum niet beschikbaar was, stierven er veertien. Het experi-

ment in Bolivia is niet de enige band die Zuid-Amerika heeft met dit antibioticum. Chlooramfenicol werd voor het eerst in Caracas, Venezuela, uit een grondmonster geïsoleerd: een ontdekking die in twee opzichten belangrijk was. Ten eerste betekende het de vondst van een nieuwe antibiotische stof en ten tweede kon het, zoals het klinisch experiment aantoonde, ziekten genezen die eerder niet te behandelen waren, zoals tyfus. Later boekte ditzelfde antibioticum opmerkelijke resultaten bij de behandeling van tyfeuze koorts. Eindelijk hadden wetenschappers een stof gevonden die ernstige infecties doeltreffend kon behandelen.
De euforie die de ontdekking van chlooramfenicol teweegbracht werd enigszins getemperd, toen bleek dat het ernstige bijwerkingen veroorzaakte. In 1950 werden veel onderzoekers gealarmeerd door de steeds sterker wordende aanwijzingen dat het verband hield met ernstige bloedafwijkingen, waaronder anemie en leukemie.
In welvarende landen, waar duurdere, maar veiliger medicijnen beschikbaar zijn, wordt tegenwoordig nog maar weinig gebruik gemaakt van chlooramfenicol. In ontwikkelingslanden wordt het echter nog steeds vaak voorgeschreven omdat het goedkoop is. Het wordt voornamelijk gebruikt voor tyfus, tyfeuze koorts, hersenvliesontsteking en maltakoorts, maar kan ook worden toegepast bij de behandeling van andere infecties. Misschien hebt uzelf het ook wel eens gebruikt – in de vorm van oor- of oogdruppels.

De cefalosporines

In het midden van de jaren '40 isoleerde Giuseppe Brotzu, rector magnificus van de universiteit van Cagliari in Sardinië, een antibioticumachtige stof uit een schimmel. Hij voerde klinische experimenten uit met de stof (weliswaar in een onzuivere vorm) en behaalde zeer goede resultaten, vooral bij de behandeling van door stafylokokken veroorzaakte infecties en tyfeuze koorts.
Brotzu publiceerde zijn resultaten in 1948, en zijn werk wekte de belangstelling van Florey's onderzoeksteam in Oxford. Toen zij monsters van de schimmel kregen, waren zij in staat om verscheidene penicilline-achtige antibiotica te isoleren en te zuiveren, cefalosporines genoemd, die zeer effectief bacteriële infecties bestrijden. Zij vernietigen bacteriën op een soortgelijke manier als penicilline en worden vooral toegepast (als vervangingsmiddel van penicilline) bij bacteriële resistentie tegen penicilline. Bijkomend voordeel is dat zij een zeer lage giftigheid hebben, hoewel bij ongeveer 5% van de patiënten allergische reacties optreden.
Aanpassingen van de chemische basisstructuur van cefalosporine hebben geleid tot de ontwikkeling van een groot aantal van deze antibiotica voor klinisch gebruik. Wetenschappelijk onderzoek naar de ontwikkeling van nieuwe cefalosporines is nog steeds gaande.

De tetracyclines

In 1947 isoleerde Benjamin M. Duggar chloortetracycline uit een monster van modder uit de rivier de Missouri (VS). Chloortetracycline was de eerste tetracycline die ontdekt werd, en Duggars ontdekking leidde tot het isoleren en vervolgens ontwikkelen van een groot aantal zeer krachtige antibiotica, die tegenwoordig op penicilline na wereldwijd het meest worden gebruikt.

Omdat zij werkzaam zijn tegen een grote verscheidenheid van bacteriën en betrekkelijk goedkoop kunnen worden geproduceerd, werden de tetracyclines snel populair en worden tegenwoordig gebruikt om vele infecties te behandelen. Zij zijn vooral populair in ontwikkelingslanden, omdat zij zo goedkoop zijn.

Het uitgebreide wetenschappelijk onderzoek dat naar de tetracyclines is gedaan heeft aangetoond dat zij weliswaar effectief zijn, maar een aantal giftige bijwerkingen veroorzaken. Tetracyclines vormen calciumcomplexen in groeiend bot, wat kan leiden tot blijvende verkleuring en misvorming van de tanden en tot verminderde botgroei. Tetracyclines passeren ook de placenta en zijn zeer giftig voor de foetus. Daarom worden ze niet gegeven aan zwangere vrouwen en aan kinderen beneden de zeven jaar.

Een ander nadelig effect is de welige groei van *Candida spp.* en *Staphylococcus spp.* in de darmen, wat leidt tot chronische infecties met deze organismen. Bij sommige patiënten kunnen ook lever- en nieraandoeningen optreden, evenals allergische reacties, zoals galbulten, huiduitslag, astma en contacteczeem.

Omdat tetracyclines complexen vormen met calcium, magnesium en ijzer mogen zij niet worden gebruikt in combinatie met zuivelproducten en met mineraal- en vitaminesupplementen die calcium, magnesium of ijzer bevatten.

Tabel 1: Ontdekking van antibiotica in de jaren ’40 en ’60

Eerste generatie antibiotica	
1942	ontwikkeling van penicilline
1943	ontdekking van streptomycine
1945	ontdekking van de cefalosporines
1947	ontdekking van chlooramfenicol
1947	ontdekking van chloortetracycline
Tweede generatie antibiotica	
1960	ontwikkeling van methicilline
1961	ontwikkeling van ampicilline
1963	ontwikkeling van gentamycine
1964	ontwikkeling van de cefalosporines

Tabel 1 vat de ontdekking en ontwikkeling van de eerste en tweede generatie antibiotica gedurende de jaren '40 en '60 samen.

Nieuwere antibiotica

Verder wetenschappelijk onderzoek vond plaats in de jaren '60. Dat leidde tot de ontwikkeling van de tweede generatie antibiotica. Een van deze antibiotica was methicilline, een semi-synthetisch derivaat (afgeleid product) van penicilline, dat speciaal werd ontwikkeld om het probleem van de resistentie tegen penicilline het hoofd te bieden. De ontwikkeling van methicilline werd beschouwd als een belangrijke doorbraak in de strijd tegen de bacteriële resistentie tegen penicilline, en wetenschappers geloofden dat zij deze strijd nu konden winnen. Helaas hadden de bacteriën het laatste woord, en er hebben zich inmiddels bacteriën ontwikkeld die resistent zijn tegen methicilline.
Ook ampicilline is een derivaat van penicilline. Het werd ontwikkeld om het aantal infecties dat met penicilline kon worden behandeld te vergroten en wordt tegenwoordig vaak gebruikt in plaats van penicilline. Bij de behandeling van een groot aantal infecties, waaronder infecties van luchtwegen en urinewegen, valt de eerste keus vaak op dit antibioticum.
Amoxycilline is een ander veelgebruikt penicilline-derivaat. Net als ampicilline heeft het een breed werkingsspectrum, omdat het zowel grampositieve bacteriën (*Streptococcus spp.* en *Staphylococcus spp.*) als gramnegatieve bacteriën (*E. coli* en *Haemophilus influenzae*) kan bestrijden.
Gentamycine behoort tot dezelfde familie van antibiotica als streptomycine (het in 1943 ontdekte medicijn tegen tbc). Omdat het ernstige bijwerkingen kan veroorzaken, zoals gehoorafwijkingen en beschadiging van de nieren, wordt het alleen gebruikt bij zeer ernstige infecties.

De meest recente antibiotica

Recentelijk is er door farmaceutische laboratoria een nieuwe familie van antibiotica ontwikkeld, genaamd de fluoro-quinolones. Deze antibiotica zijn niet alleen werkzaam tegen een groot aantal verschillende bacteriën, maar kunnen, wanneer zij oraal worden toegediend, ook een hoge concentratie in de bloedbaan bereiken. Dit betekent dat veel infecties die vroeger een ziekenhuisverblijf nodig maakten, tegenwoordig thuis kunnen worden behandeld.
De fluoro-quinolones worden vaak gebruikt wanneer lange antibioticakuren (weken of maanden) vereist zijn. Er zijn inmiddels vele soorten fluoro-quinolones verkrijgbaar, en het is gebleken dat zij werkzaam zijn tegen bacteriën die vroeger moeilijk te bestrijden waren, zoals de leprabacteriën.

De toekomst

De zoektocht naar nieuwe en effectiever medicijnen, die begon met Florey, Chain en Selman Waksman, gaat nog altijd door. Het tempo is echter aanzienlijk afgenomen, omdat farmaceutische bedrijven tegenwoordig minder gemakkelijk toestemming krijgen om nieuwe medicijnen op de markt te brengen. Tussen de ontdekking van een antibioticum in het laboratorium en de toestemming om het commercieel te produceren verstrijkt zo'n lange tijd dat sommige bedrijven hebben besloten zich helemaal van deze markt terug te trekken.

Bedrijven die zich bezighouden met het zoeken naar nieuwe antibiotica vinden het ook steeds moeilijker om het tempo bij te houden waarmee bacteriële resistentie ze weer nutteloos maakt.

2. Bacteriële resistentie tegen antibiotica

'Beproef alles, maar behoud het goede'

Resistentie tegen antibiotica: is het echt een probleem?
Al kort na de ontwikkeling van antibiotica was het duidelijk dat sommige bacteriën konden overleven en zich konden vermenigvuldigen in aanwezigheid van antibiotica. Deze bacteriën waren immuun geworden voor die antibiotica.
In een interview met de *New York Times* in 1945 waarschuwde Alexander Fleming al dat een verkeerd gebruik van penicilline zou kunnen leiden tot de selectie en vermenigvuldiging van gemuteerde vormen van resistente bacteriën. Hij voorspelde ook dat dit resistentieprobleem groter zou worden als penicilline in orale toedieningsvorm op de markt zou worden gebracht, als onjuiste doses zouden worden voorgeschreven, als een kuur niet werd afgemaakt of als mensen te lang een penicillinekuur volgden.
Hoe ernstig is dit probleem van de antibiotische resistentie nu eigenlijk?

MELBOURNE, AUSTRALIË
In het begin van de jaren '80 werden enkele ziekenhuizen in Melbourne geteisterd door infecties die met bijna geen enkele van de bekende antibiotica doeltreffend konden worden bestreden. Het organisme dat verantwoordelijk was voor de dood van een aantal ziekenhuispatiënten droeg de naam *Staphylococcus aureus*.
Dit voorval toont aan hoe ernstig het probleem van de resistentie in de praktijk kan zijn. Het bracht zo'n angst onder het ziekenhuispersoneel teweeg, dat veel personeelsleden op hun werk maskers gingen dragen. De bacteriën waren niet alleen resistent tegen antibiotica, maar ook tegen antiseptica (ontsmettingsmiddelen), wat het bijna onmogelijk maakte ze te doden. Er bleef maar één werkzaam antibioticum over, vancomycine, een medicijn dat niet alleen duur, maar ook toxisch (giftig) is. Artsen hadden echter geen alternatief en moesten het wel gebruiken. Zo kreeg men de infecties in de ziekenhuizen op den duur onder controle.
In Melbourne ging het dus nog goed. Maar men besefte wel dat de kans groot was dat er zich op den duur ook een resistentie tegen vancomycine zou ontwikkelen. Een schrikbeeld! Wat zou er gebeurd zijn als de bacteriën in Melbourne ook resistent waren geweest tegen vancomycine? Hoe zou de ziekenhuisinfectie dan behandeld zijn? Zou zij echt niet te behandelen zijn geweest?
Dat was in de jaren '80. Inmiddels is resistentie tegen vancomycine een

feit. Maar zij doet zich voor in een andere groep van bacteriën: *Enterococci*. We weten echter dat deze bacteriën in staat zijn hun resistentie over te dragen op *Staphylococcus aureus*, het organisme dat vooral in ziekenhuizen infecties veroorzaakt. Dat betekent dat het niet lang meer zal duren voordat ook *Staphylococcus* resistent is tegen vancomycine. Dan zullen ziekenhuisinfecties zoals die zich in Melbourne voordeden echt niet meer met antibiotica behandeld kunnen worden.
Het is dus duidelijk, dat we het hebben over een zeer gevaarlijke situatie. Een infectie die niet met de bestaande middelen kan worden behandeld, kan elke dag de kop opsteken. Het is volgens sommige microbiologen nog slechts een kwestie van maanden of hooguit een paar jaar.

Waarom ontwikkelen bacteriën resistentie?

Bacteriële resistentie tegen antibiotica is geen nieuw fenomeen. Het bestaat al net zo lang als de bacteriën zelf, maar dan wel op een zeer laag niveau. We treffen het verschijnsel bijvoorbeeld aan in grond waar schimmels en bacteriën naast elkaar leven. Van een vreedzame coëxistentie is echter geen sprake. Integendeel, schimmels en bacteriën voeren een strijd op leven en dood met elkaar om ruimte en voedsel in de grond. Schimmels produceren antibiotica en gaan daarmee de bacteriën in de grond te lijf. (Misschien weet u dat veel antibiotica oorspronkelijk geïsoleerd werden uit grondmonsters, die schimmels bevatten.) Om te overleven bedachten bacteriën een strategie om zichzelf te beschermen tegen deze natuurlijke antibiotica: zij ontwikkelden resistentie. Resistentie is dus een natuurlijk overlevingsmechanisme.
Maar als resistentie tegen antibiotica altijd heeft bestaan, waarom komt het dan juist tegenwoordig zo vaak voor? En waarom vormt het zo'n groot gevaar? Het antwoord op deze vragen is te vinden in de manier waarop wij met commercieel geproduceerde antibiotica zijn omgegaan. We hebben ze in sommige gevallen te veel, in andere gevallen te weinig en in weer andere gevallen onjuist gebruikt. Hoe dan ook, we hebben er een verkeerd gebruik van gemaakt, en daardoor hebben we het de bacteriën alleen maar gemakkelijker gemaakt bij hun voortdurende poging om resistentie te ontwikkelen.

PRAKTIJKVOORBEELD 1 – **Mark: griep**

Mark was twaalf jaar. Ik had hem bijna zes maanden lang behandeld voor telkens terugkerende infecties in de bovenste luchtwegen (oor- en keelontstekingen). Ik was in het buitenland toen hij weer ziek werd; hij had 38,3° C koorts en klaagde over keelpijn. Zijn moeder ging met hem naar mijn waarnemer, die griep (een virale infectie) constateerde en 'voor alle zekerheid' een antibioticakuur voorschreef. Gelukkig ging Marks moeder niet met het recept naar de apotheek, maar vroeg in plaats daarvan advies aan de aan mijn praktijk verbonden verpleegkundige. Deze raadde haar een antiviraal homeopathisch geneesmiddel in combinatie met hoge doses vitamine C aan. Deze behandeling werkte zeer goed, en binnen achtenveertig uur was Mark beter.

Dit is een goed voorbeeld van een geval waarin antibiotica duidelijk niet nodig waren, zowel vanwege de diagnose (griep is een virusinfectie en hoort niet te worden behandeld met antibiotica) als de uitkomst (de patiënt reageerde goed op natuurlijke geneesmiddelen).
Verkoudheid, griep, mazelen en herpes zijn voorbeelden van *virale* infecties. Ik hoor regelmatig dat antibiotica worden voorgeschreven om deze infecties te behandelen. Soms schrijft de arts te snel antibiotica voor, soms oefent de patiënt druk uit op de arts om deze voor te schrijven. Virusinfecties genezen *niet* door antibiotica. Antibiotica kunnen de toestand zelfs verergeren, omdat zij de immuniteitsreactie van het lichaam kunnen onderdrukken.
In 1976 publiceerde de *British Journal of Medicine* (Chandler en Dugdale) een artikel, getiteld *What do patients know about antibiotics?* (Wat weten patiënten over antibiotica?). Van de mensen die in dit onderzoek waren ondervraagd dacht 55% dat antibiotica virussen doden; slechts 46% meende dat bacteriën worden gedood door antibiotica. En een verontrustend aantal van 75% dacht dat antibiotica helpen tegen verkoudheid en griep. Antibiotica werden ontwikkeld om bacteriële infecties te behandelen, zoals een door streptokokken veroorzaakte keelpijn. Zij moeten *niet* worden gebruikt voor verkoudheid, griep of andere virale infecties.

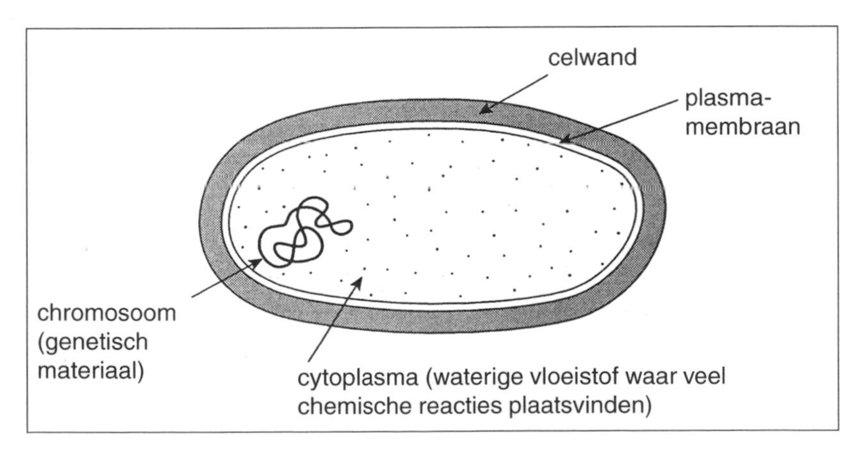

Afbeelding 1: Een bacteriële cel (vereenvoudigd)

Bacteriën kunnen simpelweg worden omschreven als eencellige organismen. Zij hebben een celwand, een plasmamembraan en bevatten genetisch materiaal. Antibiotica kunnen bacteriën doden door delen van de bacteriële cel te beschadigen (penicilline beschadigt bijvoorbeeld de celwand).
Virussen zijn geen levende cellen. Zij hebben geen celwand en geen plasmamembraan. Zij zijn niet in staat om chemische reacties teweeg te brengen en kunnen zich dan ook niet voortplanten of vermenigvuldigen. Omdat virussen geen structuren bevatten die door antibiotica kunnen worden aangetast, zijn deze medicijnen nutteloos tegen virussen.

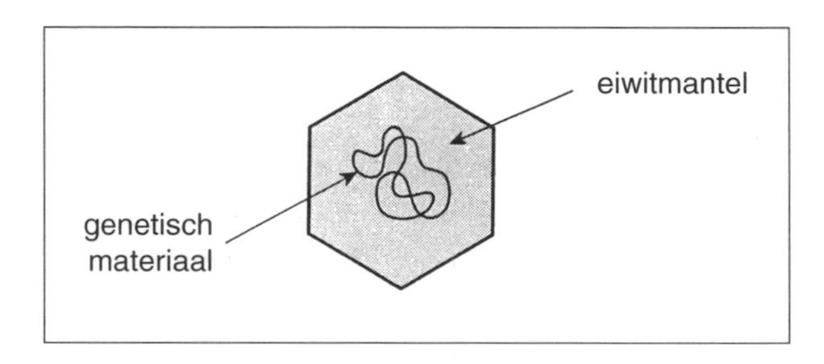

Afbeelding 2: Een virus (vereenvoudigd)

Nu begrijpt u waarom antibiotica effectief zijn bij de behandeling van infecties die veroorzaakt worden door bacteriën, maar ineffectief bij de behandeling van virale infecties.

PRAKTIJKVOORBEELD 2 – **John: telkens terugkerende keelpijn en vermoeidheid**

John was hoofd financiële zaken van een groot softwarebedrijf. Hij leed al meer dan een jaar aan telkens terugkerende keelpijn en vermoeidheidsverschijnselen. Een vriend van hem was apotheker, en om tijd en geld te sparen kocht John rechtstreeks bij zijn vriend antibiotica en behandelde hij zichzelf. Voordat hij medische hulp inriep, had hij binnen het bestek van twaalf maanden zeven verschillende antibioticakuren gevolgd. Zijn klachten waren niet alleen toegenomen, zij waren nu ook chronisch van aard. Het gevolg was, dat hij nauwelijks meer in staat was om te werken.
Deze man had het 'te druk' om al in een vroeg stadium de hulp van een arts in te roepen. Zelfmedicatie *leek* op dat moment de beste oplossing. Maar, zelfmedicatie met mogelijk schadelijke medicijnen werkt de ontwikkeling van bacteriële resistentie in de hand. Het kan op lange termijn zelfs ziekte veroorzaken. Laat het stellen van de diagnose en de medische behandeling niet over aan een apotheker, ook niet aan een homeopathische apotheker. Raadpleeg uw huisarts.
Johns vermoeidheid verdween, enkel en alleen door het voorschrijven van homeopa-

thische geneesmiddelen (om Johns immuunsysteem te stimuleren en om de schadelijke effecten van de antibiotica ongedaan te maken), het veranderen van zijn voeding en het gebruik van hoge doses vitamine C en biogarde. Zijn keelpijn behoort nu tot het verleden.

Ik kan niet genoeg benadrukken hoe belangrijk gezonde voeding is, vooral voor mensen die in stedelijke gebieden wonen. De verleiding is groot om uitsluitend *onnatuurlijke*, industrieel bewerkte voedingsmiddelen te eten. Wanneer het onvermijdelijke dan gebeurt en het lichaam dienst begint te weigeren, wendt men zich al te snel tot *onnatuurlijke* geneesmiddelen om de klachten te bestrijden.
Het ongebreideld voorschrijven van antibiotica valt niet alleen artsen en patiënten aan te rekenen. Ook apothekers en de overheid hebben hieraan schuld. In veel ontwikkelingslanden zijn antibiotica zonder recept verkrijgbaar. Dit leidt tot een verkeerd gebruik ervan en werkt daarmee de ontwikkeling van bacteriële resistentie in de hand.
Toen ik in Afrika werkte heb ik meer dan eens gezien dat medicijnen, door hulporganisaties verstuurd om particuliere ziekenhuizen te helpen, vrijelijk op het marktplein werden verkocht aan een ieder die het maar kon betalen. Ik ken ook gevallen, waarbij medewerkers van een ziekenhuis waren betrapt bij het stelen van antibiotica die zij als een vorm van bijverdienste aan de plaatselijke bevolking wilden verkopen. En dit is dan nog maar het topje van de ijsberg.

Het gebruik van antibiotica bij dieren

Antibiotica worden al vrij lang in dierenvoer verwerkt. Boerderijdieren, vooral rundvee en varkens, krijgen grote hoeveelheden antibiotica om de

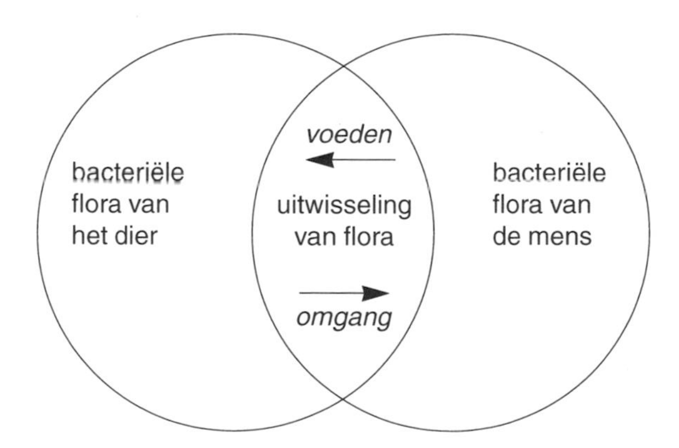

Afbeelding 3: Uitwisseling van bacteriën door contact tussen mens en dier

groei te bevorderen en om bepaalde infecties te behandelen. Deze dieren (en hun producten) eindigen als voedsel in onze supermarkten, als vlees of als zuivelproducten zoals kaas en melk.
De bacteriën in deze dieren zijn meestal multiresistent (d.w.z. dat zij resistent zijn tegen verscheidene antibiotica). Deze multiresistentie kan worden overgedragen op de mens, door direct contact met de dieren, door besmet voedsel of via de grond (de ontlasting van deze dieren komt in de grond terecht).
Contacten tussen mens en dier kunnen de bacteriële flora* van beide veranderen. Resistente bacteriën kunnen van het dier overgaan op de mens en vice versa tijdens het voeden of verzorgen.

Veel van de antibiotica die zijn goedgekeurd voor gebruik bij dieren worden door boeren toegediend zonder veterinair toezicht. Een Ierse boer die ik sprak was een kalf aan het injecteren met penicilline terwijl ik hem interviewde. Hij legde me uit dat het kalf een verstuikte enkel had. Via de assistente van de veearts kon hij een aantal antibiotica krijgen zonder de veearts te raadplegen over de juistheid van de behandeling.
Er zou een halt moeten worden toegeroepen aan het zonder recept verkrijgbaar zijn van antibiotica in de veehouderij. Alle antibiotica zouden moeten worden voorgeschreven door een dierenarts en, net zoals bij mensen, alleen mogen worden gebruikt als laatste redmiddel. Ook voor dieren zijn er veel uitstekende homeopathische geneesmiddelen verkrijgbaar. Zo werd in televisieprogramma's in Groot-Brittannië melding gemaakt van de goede resultaten die werden geboekt bij de behandeling van uierontsteking bij melkvee met homeopathische middelen. Het boek *A Veterinary Materia Medica* van dr. G. Mcleod is een uitstekend naslagwerk voor iedereen die geïnteresseerd is in de alternatieve behandeling van ziekten die voorkomen onder boerderijdieren.
Het is bekend dat kleine hoeveelheden penicilline en tetracycline de groei van vee kunnen bevorderen. Daarom worden in de bio-industrie grote hoeveelheden antibiotica meer gebruikt als groeimiddelen dan om infecties te behandelen. Het regelmatig toedienen van kleine hoeveelheden antibiotica kan bacteriële resistentie in de hand werken, omdat de bacteriën hun eigen manier ontwikkelen om immuniteit voor antibiotica te ontwikkelen in plaats van erdoor te worden gedood. Het spreekt voor zich dat een dergelijk gebruik van antibiotica bacteriën helpt om resistentie te ontwikkelen. Het gebruik van penicilline en tetracycline als groeimiddelen is in de meeste Europese landen verboden, maar niet in de VS en andere delen van de wereld. Dit is duidelijk een kwestie die wereldwijd moet worden aangepakt.

* Bacteriële flora: alle bacteriën die op de huid en in de lichaamsholten, inclusief de luchtwegen en het spijsverteringskanaal, leven.

Honden- en kattenvoer

Bij een onderzoek bleek dat zich in de ontlasting van 70% van de honden een stam van multiresistente *E. coli** bevindt (Monaghan e.a., 1981). Sommige bacteriën in de darmen van deze honden waren resistent tegen twee of meer antibiotica. Dit kan heel goed worden toegeschreven aan het feit dat antibiotica worden toegevoegd aan kant-en-klaar hondenvoer om de groei te bevorderen. Zelfs kleine hoeveelheden antibiotica kunnen bacteriële resistentie in de hand werken.

Bacteriën hebben het vermogen om resistentie te ontwikkelen tegen bijna elk medicijn waaraan zij worden blootgesteld. Deze resistentie ondermijnt ons vermogen om infecties te behandelen, niet alleen bij mensen, maar ook bij dieren. Het gebruik van antibiotica in dierenvoer om de groei van vee te bevorderen draagt in hoge mate bij aan het instandhouden en verspreiden van resistentie. De bacteriën in de darmen van zowel boerderijdieren (rundvee, schapen en varkens) als huisdieren (honden en katten) zijn niet alleen resistent tegen een of twee antibiotica maar tegen veel meer antibiotica (multiresistent).
Antibiotische resistentie is een wereldwijd probleem dat de samenwerking van overheden, artsen, apothekers, dierenartsen en veehouders vereist, evenals de voorlichting van het grote publiek. Het verdient volgens mij ook de volledige steun van de Wereldgezondheidsorganisatie (WHO).

Laboratoriumverslagen

Op de volgende bladzijde staat het verslag van een ziekenhuislaboratorium over een patiënt die leed aan een infectie in de urinewegen. Zoals uit het verslag blijkt, werd deze infectie veroorzaakt door de bacterie *E. coli* (een veel voorkomende oorzaak van urineweginfecties). Wanneer men in het laboratorium een bacterie heeft geïsoleerd, wordt ook onderzocht welke antibiotica het meest effectief zullen zijn bij het behandelen van de infectie.
In het rapport betekent 'S' dat de *E. coli* in het monster gevoelig (Eng.: *sensitive*) zijn voor het betreffende antibioticum, zodat dit antibioticum de infectie zou kunnen bestrijden. 'R' betekent dat het organisme ongevoelig (Eng.: *resistant*) is voor het betreffende antibioticum en dat dit antibioticum dus ineffectief zou zijn bij de behandeling.
Kijk naar het aantal R's in het verslag. Deze stam van *E. coli* is resistent tegen niet minder dan negen antibiotica: een toonbeeld van multiresistentie! Het is slechts gevoelig voor drie antibiotica, namelijk Netillin, Oflox en Ciproflox. Deze, zeer dure, medicijnen worden zelden gebruikt om urineweginfecties te behandelen.

* De bacterie E. coli is bij de meeste dieren, en ook bij de mens, een normale darmbewoner.

Afdeling Pathologie
Ziekenhuis

Datum: 03-02-95
Arts: dr. John McKenna

Monster : urine

Patiënt:

Onderzoek: kweek + gevoeligheid

Verslag : E. coli $> 10^5$
: gevoeligheid

Amp/Amox	Velocef	Augmentin	Trimeth	Nalidix	Nitro
R	R	R	R	R	R
Gentamycine	Sulpha	Amikacine	Netillin	Oflox	Ciproflox
R	R	R	S	S	S

Afbeelding 4: Urine-analyse van een patiënt met een infectie in de urinewegen

Een rapport als dit, dat de resistentie tegen een groot aantal antibiotica aangeeft, is alarmerend. Maar het is zeker niet uniek. Binnenkort verwacht ik stammen van *E. coli* te zien die nog maar met één antibioticum behandeld zullen kunnen worden. Dan zal het ook niet lang meer duren voordat er stammen zijn die helemaal niet meer te behandelen zijn.
Het is vermeldenswaard dat de patiënt in dit voorbeeld de vrouw is van een melkveehouder. Het verschijnsel van multiresistentie komt vaker voor bij patiënten met een agrarische achtergrond, waarschijnlijk door eerder vermelde oorzaken (dat wil zeggen: het gebruik van antibiotica bij dieren).

Hoe ontwikkelen bacteriën resistentie?

Het lijkt wel alsof bacteriën beschikken over een geheim wapen tegen antibiotica. Men kan slechts ontzag hebben voor deze ingenieuze en intelligente organismen en voor de manier waarop zij onze pogingen om ze te doden telkens weer weten te verijdelen.
In zekere zin zijn het onze eigen bekrompen denkwijze en onze arrogante houding tegenover de natuur – het geloof dat we de natuur kunnen beheersen door datgene waarvan wij denken dat het onnodig of schadelijk is uit de weg te ruimen – die ons in deze dodelijke impasse hebben gebracht. Het is intrigerend dat we infectieziekten niet in onze macht kunnen krijgen, maar dat zij ons *wel* in hun macht kunnen krijgen. Zij kunnen ons zelfs vernietigen!

Ons beperkte denken en ons gebrek aan bewustheid van de natuur dwingen ons om dingen vanuit een ander perspectief te bezien. We moeten accepteren dat zelfs ziekteverwekkende bacteriën een positieve en belangrijke rol in de natuur spelen. We hoeven niet te weten welke rol dat is, het volstaat als we dit gegeven respecteren. En respect is de sleutel waarmee het probleem van de antibiotische resistentie kan worden opgelost.
Natuurvolken hebben dit respect altijd gehad. Zij hebben weet van de onderlinge verbondenheid van alles wat leeft en proberen met de natuur samen te werken door haar wetten te gehoorzamen. Deze mensen zien zichzelf niet als anders of beter dan de rest van de natuur. Wij echter zien de mens als het allerbelangrijkste, in zeker opzicht als 'anders'; we verheffen ons boven de natuur en proberen haar te beheersen. Eenvoudige eencellige organismen, genaamd bacteriën, leren ons de dwaasheid van deze zienswijze. Zij weten niet alleen de strijd tegen ons in hun voordeel te beslissen, maar kunnen ons ook een zeer waardevolle les leren. Wij allen moeten deze les leren en niet langer denken in termen van beheersing – beheersen van de natuur, beheersen van mensen, beheersen van grondgebied, beheersen van geld –, maar leven in harmonie met de natuur. Dat is wat we moeten leren van de zogenaamde 'primitieve volken', die we eerder onze manier van leven hebben opgedrongen.
Meer over de noodzaak om in overeenstemming met de natuur te leven verderop in dit boek. Laten we eerst eens kijken naar de strategieën die bacteriën ontwikkelen om te overleven.

Spontane mutaties

Bacteriën hebben door de eeuwen heen kunnen overleven dankzij een proces, genaamd spontane mutatie. Zo nu en dan muteert of verandert genetisch materiaal en produceert het een gen dat de bacterie helpt te overleven in aanwezigheid van een giftige stof in zijn omgeving, inclusief antibiotica. Bacteriën zijn hierdoor in staat om niet al te intensief gebruik van antibiotica te overleven. De aanwezigheid van een antibioticum roeit de gevoelige bacteriën uit en bevordert de groei van mutanten, die niet gevoelig zijn voor het antibioticum.
In de jaren '40 ontdekte dr. Fleming deze mutanten tijdens zijn experimenten en waarschuwde hij al voor hen. Hij voorspelde dat naarmate het gebruik van antibiotica meer verbreid zou zijn, ook deze gemuteerde vormen meer verbreid en groter in aantal zouden worden. Wat had hij gelijk! Door spontane mutatie kunnen de genen van bacteriën zich aanpassen, wat ze in staat stelt om te overleven in een vijandige omgeving. Dat is heel knap. Het toont aan hoe een verandering in de omgeving onzichtbare veranderingen in de wereld der bacteriën kan teweegbrengen.

PLASMIDEN

Het excessieve gebruik van antibiotica leidde tot bacteriën die zelfs nog slimmer werden. Zij ontwikkelden nieuwe, verbeterde overlevingsmechanismen in de vorm van plasmiden! Ik hoorde voor het eerst over plasmiden in het Moyne Institute van het Trinity College in Dublin, meer dan twintig jaar geleden. Ik kon toen nog niet vermoeden hoe belangrijk plasmiden later zouden worden, vooral in mijn eigen werk.
Plasmiden zijn mini-chromosomen, kleine stukjes genetisch materiaal, die voorkomen in bacteriële cellen. Zij maken geen deel uit van de chromosomen. Plasmiden bevatten 'nieuwe' informatie over veranderingen in de omgeving. Daarmee helpen zij de bacteriën zich snel aan te passen aan de veranderingen die om hen heen plaatsvinden. Terwijl wij op grote schaal antibiotica produceerden en onszelf op de borst klopten vanwege onze fantastische vorderingen op wetenschappelijk gebied, waren bacteriën bezig nog effectiever methoden te ontwikkelen om zichzelf te beschermen. Zij ontwikkelden deze mini-chromosomen of plasmiden.
Plasmiden passen zich voortdurend aan. Zij verliezen voortdurend genen die geen nut hebben voor het voortbestaan van de cel en verwerven tegelijkertijd constant nieuwe genen. De omgeving bepaalt en selecteert de genen die waarde voor hen zullen hebben en behouden moeten blijven, evenals de genen die niet langer nodig zijn.
Door het misbruik van antibiotica hebben wij de ontwikkeling van plasmiden en de belangrijke rol die zij spelen zelf in de hand gewerkt. De belangrijkste functie van plasmiden is te voorkomen dat bacteriën door antibiotica worden gedood. Plasmiden waren tot de jaren '70, toen resistentie een groot probleem begon te vormen, onbekend. Plasmiden luidden de doodsklok over penicilline en waarschuwden voor wat zou komen.

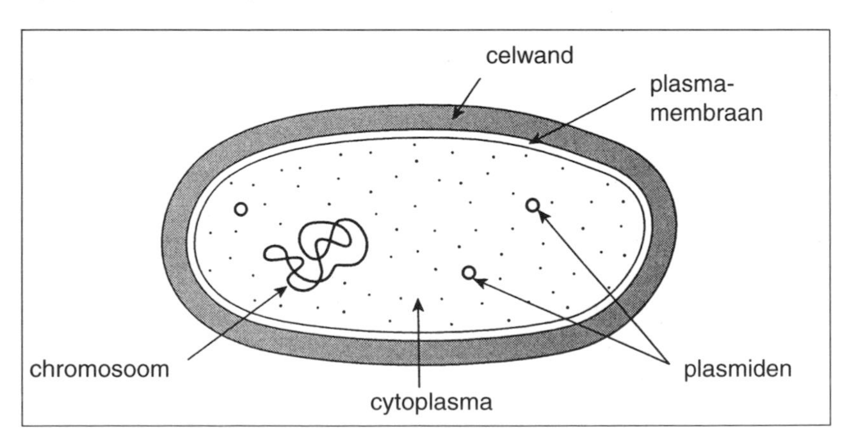

Afbeelding 5: Plasmiden (vereenvoudigd)

Een unieke eigenschap van plasmiden is het feit dat zij kunnen worden overgebracht van de ene bacteriële cel naar de andere, en van de ene soort bacterie naar de andere. Daardoor kunnen bacteriën zeer snel resistent worden tegen een medicijn.

JAPAN

Aan het eind van de jaren '50 vond er in een ziekenhuis in Japan iets zeer verontrustends plaats, iets dat de hele wetenschappelijke wereld alarmeerde: een geboorte, een ongewone geboorte, de geboorte van meervoudige medicijn-resistentie. In dit ziekenhuis leed een aantal patiënten aan Shigella-dysenterie. De bacteriën die de infectie veroorzaakten waren resistent tegen tetracycline, sulfonamiden, streptomycine en chlooramfenicol. Meervoudige medicijn-resistentie was tot dat moment onbekend. Het bericht ging dan ook alseen schokgolf over de hele wereld.

ZUID-AFRIKA

Het verschijnsel van de meervoudige medicijn-resistentie deed zich de daaropvolgende jaren ook in andere landen voor. In een Zuid-Afrikaans ziekenhuis bleek 50% van de *E. coli*-bacteriën die waren geïsoleerd uit de ontlasting en urine van patiënten resistent te zijn tegen een of meer antibiotica. De dragers van deze informatie waren de plasmiden in de bacteriële cel. Deze plasmiden waren overgebracht op andere bacteriën, wat ook deze multiresistent maakte. Met andere woorden: bacteriën maken andere bacteriën deelgenoot van hun vermogen om antibiotica te verslaan. Zij houden deze informatie niet voor zich!
Resistentie tegen medicijnen was werkelijk een wereldwijd probleem geworden. Vandaag de dag heeft praktisch de hele wereld te kampen met infecties die met geen enkel antibioticum kunnen worden bestreden. Dit probleem is niet kenmerkend voor de ontwikkelingslanden of de welvarende landen van de wereld – in zekere zin treft het ons allemaal en verenigt het ons eveneens allemaal.

TRANSPOSONEN

De middelen die bacteriën aanwenden in hun strijd tegen antibiotica lijken onbegrensd. Alsof het produceren van plasmiden niet slim genoeg was, hebben bacteriën nu ook nog transposonen ontwikkeld. Transposonen zijn nog kleinere stukjes DNA (genetisch materiaal) dan plasmiden. Zoals de naam al aangeeft, zijn zij in staat om zich van het ene stukje genetisch materiaal naar een ander te verplaatsen: zij kunnen zich van een plasmide naar een chromosoom bewegen of vice versa en op eenvoudige wijze resistente genen overbrengen binnen een bacteriële cel of van de ene bacteriële cel naar een andere. Op deze manier kunnen resistente genen nog sneller en efficiënter onder een populatie bacteriën worden verspreid.

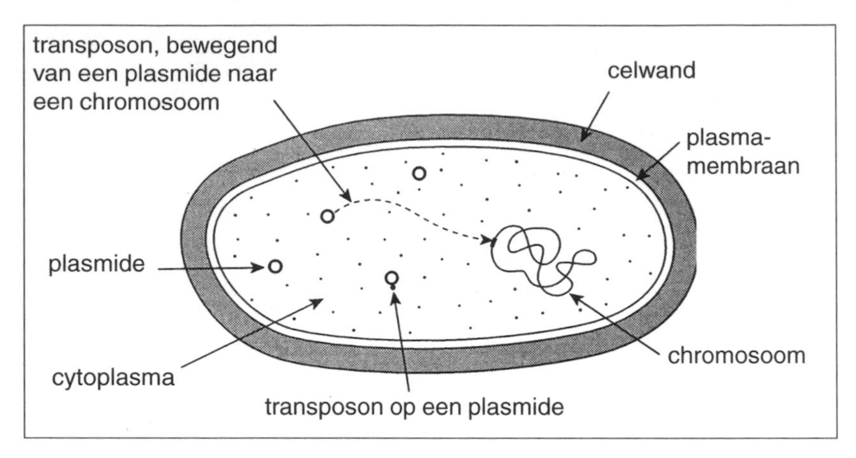

Afbeelding 6: Transposonen (vereenvoudigd)

Spontane mutaties, plasmiden en transposonen zijn de belangrijkste hulpmiddelen die bacteriën aanwenden om te overleven in aanwezigheid van antibiotica. Zij hebben ertoe geleid dat epidemieën van bacteriële resistentie momenteel veel ziekenhuizen teisteren.

Heeft bacteriële resistentie altijd bestaan of hebben wij het gecreëerd?

Om deze vraag te kunnen beantwoorden moeten we een bezoek brengen aan de in afzondering levende volken en kijken of ook zij bacteriën dragen die genen bevatten die resistent zijn tegen antibiotica.
Onderzoek hiernaar is verricht onder de Bosjesmannen van zuidelijk Afrika. Deze mensen hebben weinig contact met blanken en trouwens met geen enkel ander volk, en zouden nooit antibiotica hebben gebruikt. Ontlastingsmonsters van deze mensen vertonen zeer lage, maar desalniettemin aantoonbare aantallen resistente bacteriën. Andere onderzoeken onder afgezonderde stammen in verschillende delen van de wereld leverden hetzelfde resultaat op.
Onder de Kalahari-Bosjesmannen draagt ongeveer een op de vijftig bacteriën een resistent gen, terwijl bij Europeanen vijfentwintig van de vijftig bacteriën een resistent gen dragen (zie afbeelding 7).
Wij hebben de bacteriële resistentie dus niet gecreëerd. Wat we wel hebben gedaan is het bevorderen van de ontwikkeling van resistente en multiresistente bacteriën. In feite hebben we zonder het te weten een omgeving gecreëerd waarin deze bacteriën gedijen.

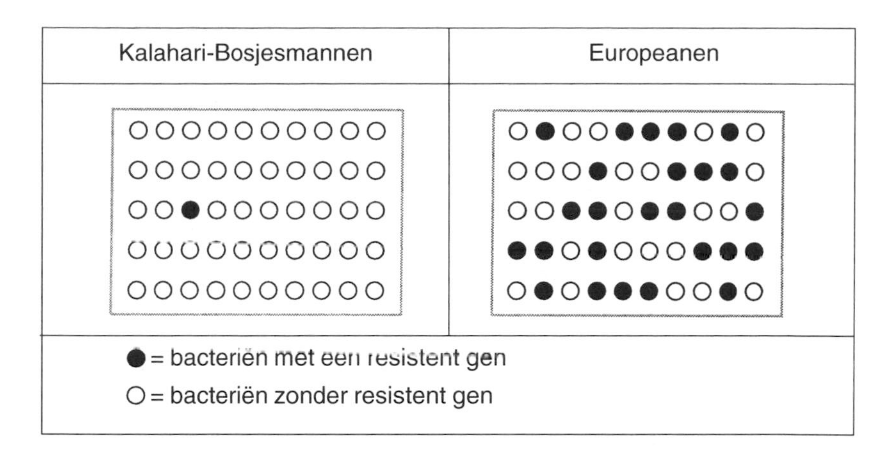

Afbeelding 7: Bacteriële resistentie voor en na het gebruik van antibiotica (analyse van ontlastingsmonsters)

Helpen plasmiden en transposonen de bacteriën in hun strijd om het voortbestaan?

Plasmiden en transposonen zijn kleine stukjes genetisch materiaal die het mogelijk maken dat resistente genen snel kunnen worden overgedragen op andere bacteriën. Het antwoord op de vraag lijkt dus 'ja' te zijn. Het antwoord is echter 'ja' en 'nee'. Waarom?

Dankzij deze extra stukjes genetisch materiaal kunnen bacteriën overleven in aanwezigheid van een antibioticum. Het gaat hier duidelijk om het voortbestaan van de soort. Maar als een bacteriële cel een of meer plasmiden (en/of transposonen) bevat, is dit in twee opzichten nadelig voor zijn voortbestaan. Ten eerste verbruikt het dragen van deze extra genen (plasmiden of transposonen) veel van de energie van de bacteriële cel, waardoor minder energie overblijft voor zijn groei of vermenigvuldiging. Ten tweede zal de bacteriële cel met deze passagiers minder gevaarlijk zijn. Een microbioloog heeft multiresistente bacteriën omschreven als 'kreupele bacteriën'.

De aanwezigheid van resistente genen heeft voor een bacteriële cel dus zowel voor- als nadelen. Door het misbruik van antibiotica oefenen we voortdurend druk uit op bacteriën om resistente genen te dragen. Als deze druk wordt weggenomen – door een tijdlang helemaal geen antibiotica te gebruiken – beginnen bacteriën hun plasmiden en transposonen te verliezen en keren zij terug tot hun oorspronkelijke staat.

In een ziekenhuis in het zuiden van Afrika werden de artsen geconfronteerd met resistentie tegen het antibioticum gentamycine. Door in plaats daarvan een minder gangbaar antibioticum te gebruiken en vijf jaar lang helemaal geen gentamycine te gebruiken verloor de soort bacteriën

waarom het ging (*Klebsiella pneumonia*, die longinfecties kan veroorzaken) zijn resistente genen en werd opnieuw gevoelig voor gentamycine. Gentamycine werd daardoor weer werkzaam.
Het is goed dit te weten. Het maakt duidelijk dat een omzichtiger gebruik van antibiotica inderdaad zal resulteren in bacteriële veranderingen. Deze veranderingen zullen leiden tot verminderde bacteriële resistentie en een terugkeer tot de natuurlijke staat van gevoeligheid voor antibiotica. Dit is een mooi voorbeeld van het natuurlijk evenwicht.

De gevolgen van resistentie

Alles in het leven kan van de positieve of van de negatieve kant bekeken worden. Dit geldt ook voor bacteriële resistentie. De negatieve manier om tegen resistentie aan te kijken is evident. In de literatuur, vooral uit de VS, en door sommige artsen wordt bacteriële resistentie afgeschilderd als een plaag, die in korte tijd de hele mensheid kan uitroeien. En misschien is dit ook wel zo. Maar als we het probleem hebben gecreëerd, moeten we het ook kunnen oplossen.
De positievere manier om naar resistentie te kijken is het te zien als een verkapte zegen. Het is een zegen, omdat het ons aan het denken zet. Het zorgt ervoor dat wij ons meer verantwoordelijk gaan voelen voor onze daden (bijvoorbeeld het niet gebruiken van een antibioticum als een snelle oplossing wanneer u moet hoesten of verkouden bent). Het dwingt ons allemaal na te denken, niet alleen over antibiotica, maar over de schadelijke effecten van *alle* medicijnen. Het vraagt ons keuzes te maken over onze manier van leven. In zekere zin vormt de bacteriële resistentie een uitdaging voor de manier waarop wij onszelf en de wereld waarin wij leven zien. Over het algemeen voelen wij ons hoog verheven boven eencellige bacteriën en voelen wij ons er al helemaal niet mee verwant. De bacteriële resistentie daagt ons uit alles wat zo zeker leek ter discussie te stellen, niet alleen wat betreft de wereld waarin wij leven, maar ook wat onszelf betreft.
Het beheersen van alles of iedereen is niet mogelijk. Wanneer we de schoonheid zien van de processen die zich in bacteriën, in de mens en in de hele natuur afspelen, beginnen we te beseffen dat beheersing de bewustwording van deze schoonheid in de weg staat. Resistentie daagt ons uit om meer in harmonie met onszelf en met de natuur te leven. Resistentie leidt dus tot een beter bewustzijn!
In het vorige hoofdstuk hebt u een laboratoriumanalyse van een urinemonster gezien. De urine-analyse toonde aan dat de stam van *E. coli* die aanwezig was in het monster resistent was tegen de meeste antibiotica. Ik behandelde deze patiënt met cranberrysap (verschillende onderzoeken hebben aangetoond dat dit effectief is bij de behandeling van infecties in de urinewegen), een homeopathisch complexmiddel in ampulvorm dat

Echinacea bevat en hoge doses vitamine C. Herhaling van het urine-onderzoek twee weken later toonde geen groei van *E. coli*. De behandeling had resultaat gehad.

SAMENVATTING

Resistentie tegen antibiotica vormt een groot probleem voor de volksgezondheid. Het ondermijnt ons vermogen om zelfs alledaagse infectieziekten, zoals amandelontsteking, oorontstekingen en infecties in de urinewegen, te behandelen.

Omdat het grote publiek nog niet doordrongen is van de ernst en de omvang van het probleem is er in de VS een organisatie opgericht, genaamd de *Alliance for the Prudent Use of Antibiotics* (Genootschap voor het verstandig gebruik van antibiotica), die voortdurend hamert op het belang van deze zaak. De belangrijkste doelen van deze organisatie zijn het stimuleren van mensen tot een verantwoorder houding tegenover het gebruik van antibiotica en het propageren van een beter gebruik van antibiotica. Hiertoe wordt onderzoeksinformatie gebundeld en voorlichting gegeven aan artsen, patiënten, dierenartsen, boeren, apothekers, farmaceutische bedrijven en leken. Deze vorm van internationale samenwerking van iedereen die betrokken is bij het gebruik van antibiotica is absoluut noodzakelijk.

3. Gebruik en misbruik van antibiotica

'De ene blinde leidt de andere'

Antibiotica worden al bijna vijftig jaar gebruikt, hoewel zij nog niet zo lang in massaproductie zijn. Wat deden we vóór de ontdekking van antibiotica? Het antwoord op deze vraag is essentieel voor ons voortbestaan, omdat steeds meer alledaagse infectieziekten, zoals amandelontsteking, middenoorontstekingen en infecties in de urinewegen, in de toekomst niet meer met antibiotica behandeld zullen kunnen worden.
Voor het gemak gebruik ik 1940 als scheidslijn tussen het pre-antibiotische en het antibiotische tijdperk. Vóór 1940 waren er geen antibiotica. Hoe gingen ouders om met simpele infecties bij hun kinderen? Hoe behandelden artsen ernstige infecties?
Men gebruikte blijkbaar het gezonde verstand. In het begin van de infectie deed men weinig om deze te behandelen; men liet het lichaam er op natuurlijke wijze tegen vechten en men bouwde op die manier een natuurlijke weerstand tegen de infectie op. Alleen als het lichaam de strijd duidelijk niet kon winnen, werd er ingegrepen.
De mensen vertrouwden over het algemeen op geneeskrachtige kruiden en huismiddeltjes. Ierland had een sterke traditie op het gebied van de kruidengeneeskunde; iedereen kende wel een arts of kruidendokter die kon helpen bij het behandelen van infecties. Evenals in veel andere culturen werd de kennis van de teelt en het gebruik van geneeskrachtige kruiden van generatie op generatie doorgegeven. Artsen waren in belangrijke mate afhankelijk van natuurlijke stoffen, zoals ijzer, kwikzilver en antimonium. In Duitsland was de homeopathische geneeskunde diep geworteld. Veel artsen hadden een opleiding in de homeopathie gevolgd en, toegegeven, er waren ook de nodige amateurs die zich op dit terrein bewogen.
Van 1850 tot de eeuwwisseling was de homeopathische geneeskunde buitengewoon populair in Europa en Noord-Amerika. In het begin van deze eeuw echter voerde de Amerikaanse Maatschappij ter bevordering van de Geneeskunst (AMA) een sterke politieke lobby om homeopathische opleidingsinstituten en ziekenhuizen te sluiten. In 1920 was het aantal van deze ziekenhuizen in de VS gedaald tot niet meer dan zeven.
De opkomst van de conventionele geneeskunde ging hand in hand met de opkomst van de farmaceutische industrie. De AMA had een machtige bondgenoot gevonden, wat mogelijk haar aanzienlijke politieke invloed verklaart. Het verklaart waarschijnlijk ook waarom de meeste medisch-

wetenschappelijke onderzoeken worden gesponsord door farmaceutische bedrijven en waarom medisch studenten wordt geleerd dat farmacologie (het gebruik van medicijnen) de eerstaangewezen methode is om patiënten te behandelen.
In 1928 deed Alexander Fleming de ontdekking waarmee hij later beroemd zou worden, en die leidde tot de productie van penicilline. Fleming toonde aan dat een schimmel, genaamd *Penicillium notatum*, de groei van bepaalde bacteriën (*Staphylococcus spp.* en *Streptococcus spp.*) tegenging. Het zou nog 17 jaar duren voordat er wat gedaan werd met deze wetenschappelijke vondst.
In 1935 toonde een Duitse onderzoeker aan dat een kleurstof, genaamd prontosil rubrum, muizen genas die waren besmet met *Streptococcus spp.* (de bacterie die keelpijn kan veroorzaken). Prontosil rubrum was de voorloper van een groep antibioticumachtige medicijnen, genaamd sulfonamiden (of sulfapreparaten). Deze medicijnen worden tot op de dag van vandaag gebruikt. Septrine bijvoorbeeld, dat sulfamethoxazol bevat, wordt gebruikt om infecties in de luchtwegen en de urinewegen te behandelen.
Pas in 1945 zetten Florey en Chain het onderzoek, waarmee Fleming was begonnen, voort. Zij zuiverden en concentreerden penicilline en maakten het geschikt voor klinisch gebruik. Zij ontdekten ook de werkzaamheid van penicilline tegen een groot aantal bacteriële infecties, waaronder difterie, tetanus en miltvuur. Vanaf het moment dat antibiotica hun intrede in de klinische geneeskunde deden, werd er gewerkt aan manieren om ze in massaproductie te nemen. Toen de scheikundige formule van penicilline eenmaal was vastgesteld, waren chemici en biochemici in staat om antibiotica langs synthetische weg te produceren. Veel van de antibiotica die vandaag de dag worden gebruikt komen dan ook uit het laboratorium.

Vóór 1940 vertrouwde men bij de behandeling van alledaagse infectieziekten op:
- *kruiden*
- *homeopathie*
- *huismiddeltjes*
- *het gezonde verstand*

Na 1940, in het antibiotische tijdperk, daalde geleidelijk aan het vertrouwen van de mensen in natuurlijke geneesmiddelen en nam men steeds vaker zijn toevlucht tot synthetische medicijnen, inclusief antibiotica. Deze afhankelijkheid is vandaag de dag zo sterk, dat sommige mensen niet meer weten wat zij moeten doen wanneer hun kind ziek is. Pas nu beginnen we de dwaasheid in te zien van deze handelwijze, en groeit bij het grote publiek het verlangen om oude methoden in ere te herstellen.

Na 1940 kenmerkte de behandeling van alledaagse infectieziekten zich door:

- *een afnemend vertrouwen in huismiddeltjes, het gezonde verstand, kruiden en homeopathie*
- *een stijgend vertrouwen in sulfapreparaten en antibiotica*

De afnemende werkzaamheid van antibiotica

Antibiotica zijn in potentie levensreddende medicijnen. Zij behoren tot de belangrijkste verworvenheden van de medische wetenschap. Toen zij voor het eerst op het toneel verschenen, was een ieder ervan overtuigd dat wij voorgoed verlost zouden zijn van de gesel van infectieziekten en dat infecties voortaan tot het verleden zouden behoren.

Helaas, het mocht niet zo zijn. De werkzaamheid van antibiotica neemt af door dezelfde bacteriën die zij moesten vernietigen. Bacteriële resistentie ontwikkelt zich in zo'n hoog tempo, dat veel artsen in ziekenhuizen zich ernstig zorgen maken over de toekomst.

Onlangs hoorde ik een groep artsen in New York praten over een nieuwe tuberculose-epidemie die in de VS was uitgebroken. Zij zeiden dat deze recente epidemie van tbc buitengewoon moeilijk te behandelen is omdat de bacterie die de tbc veroorzaakt (*Mycobacterium tuberculosis*) inmiddels resistent is tegen de meeste medicijnen. Patiënten met deze vorm van tbc kunnen momenteel niet worden behandeld. Ook artsen in Europa hebben gewaarschuwd voor de ernstige gevolgen van de toenemende bacteriële resistentie tegen antibiotica en hebben er bij huisartsen op aangedrongen terughoudend te zijn bij het voorschrijven van deze medicijnen. U, als potentieel patiënt, kunt uw huisarts helpen door met hem of haar te praten over alternatieven en te vragen om natuurlijke geneesmiddelen.

De kern van de zaak is, dat antibiotica een reëel gevaar voor de volksgezondheid inhouden en dat alledaagse infecties in de zeer nabije toekomst misschien helemaal niet meer op behandeling met antibiotica zullen reageren. Door het overdadig gebruik en misbruik van antibiotica hebben we uit het oog verloren dat de natuur haar eigen methoden heeft om terug te vechten, en wel door het produceren van multiresistente stammen van bacteriën. Ironisch genoeg moeten we ons heil zoeken bij de natuur en de natuurlijke geneeskunde om een uitweg te vinden uit deze impasse. In dit boek wil ik aantonen dat er doeltreffende methoden zijn om infecties te behandelen. Methoden die niet alleen vrij zijn van bijwerkingen, maar die ook minder waarschijnlijk resulteren in bacteriële resistentie in de komende jaren.

De gevaren van excessief gebruik van antibiotica

RESISTENTIE

Wanneer antibiotica, zoals penicilline, op een verkeerde manier worden gebruikt of wanneer een kuur niet wordt afgemaakt, kunnen bacteriën resistentie ontwikkelen. Deze resistente stammen zijn dan in staat om, de eerstvolgende keer dat zij in contact komen met het antibioticum, de werkzaamheid ervan teniet te doen. Op deze manier verliest het medicijn zijn werkzaamheid. Wanneer veel verschillende soorten bacteriën resistentie tegen penicilline ontwikkelen, wordt het medicijn nutteloos. Het gevolg daarvan is, dat krachtiger antibiotica moeten worden ontwikkeld en geproduceerd. Het tempo waarin de bacteriële resistentie zich ontwikkelt is echter veel hoger dan het tempo waarin farmaceutische bedrijven nieuwe antibiotica kunnen produceren.

ALLERGISCHE REACTIES

Door het overdadig gebruik van antibiotica komen allergieën steeds vaker voor. Deze allergische reacties kunnen variëren van netelroosachtige huiduitslag en oedeem (waterzucht) tot bronchospasme (kramp van de luchtpijptakken) en shock.

DARMPROBLEMEN

Antibiotica, zoals tetracycline en amoxycilline, kunnen de darmflora verstoren. Zij tasten vooral de 'goede', gezonde bacteriën aan, zoals *Lactobacillus acidophilus* en *Bifidobacterium bifidus*. Dit kan leiden tot darmproblemen, zoals diarree, winderigheid en een opgeblazen gevoel in de buik. Er zijn aanwijzingen dat verstoringen van de darmflora een belangrijke rol spelen bij de ontwikkeling van ernstige darmaandoeningen, zoals zwerende ontsteking van de dikke darm en kanker van de dikke darm.
Een ander probleem dat zich kan voordoen is de welige groei van gisten en schimmels in de darmen, wat leidt tot *intestinale candidiasis* (een schimmelziekte van het darmslijmvlies). Dit is tegenwoordig vooral in de westerse wereld een groot probleem; het is te wijten aan overdadig gebruik van antibiotica. *Candidiasis* kwam vroeger alleen voor bij mensen wier immuunsysteem niet sterk genoeg was, bijvoorbeeld bij baby's wier immuunsysteem zich nog aan het ontwikkelen is, bij oudere mensen wier immuniteit begint af te takelen en bij patiënten wier immuniteit door een of andere oorzaak verzwakt is (bijv. door langdurig gebruik van steroïden). In de jaren '90 komt *intestinale candidiasis* onder alle leeftijdsgroepen en alle soorten van mensen voor. Dit verontrust mij, omdat het erop wijst dat de immuniteit van de mens in gevaar is.

Praktijkvoorbeeld 3 – **Sarah: buikpijn en weinig eetlust**
Sarah, een meisje van zes jaar, had al drie maanden lang pijn in haar buik en weinig eetlust. Voorafgaand aan deze klachten had zij vier antibioticakuren gevolgd voor oorontstekingen. Geen van deze kuren had het gewenste resultaat. Ik constateerde dat haar darmflora niet in balans was en schreef haar een dieet voor dat suiker en bewerkt voedsel uitsloot en biogarde en wei bevatte. Ook gaf ik haar homeopathische geneesmiddelen. Hierdoor verdween haar buikpijn en verbeterde haar eetlust. Maar..., ook haar oorontstekingen behoorden tot het verleden.

Dit geval is typisch voor veel kinderen die een of meer antibioticakuren hebben gevolgd; het gaat daarbij vooral om breed-spectrum-antibiotica* (d.w.z. tetracycline en amoxycilline). Antibiotica kunnen de 'goede' bacteriën in het spijsverteringskanaal aantasten. Deze bacteriën produceren een aantal vitaminen die het lichaam nodig heeft voor een goede gezondheid.
Antibiotica kunnen ook het immuunsysteem onderdrukken. Sommige antibiotica, waaronder tetracycline en de sulfonamiden, remmen de activiteit van de witte bloedlichaampjes die bacteriën inkapselen en vernietigen. Van andere antibiotica is bekend dat zij de productie van antistoffen hinderen en daarmee de weerstand verlagen (Hauser en Remington, 1982). Gebleken is dat het gebruik van antibiotica ook de kans vergroot dat infecties terugkeren. Onderzoeken, gepubliceerd in 1974 (Diamont en Diamont) en meer recent in 1991 (Cantekin e.a.), hebben aangetoond dat kinderen die bij oorpijn meteen antibiotica krijgen veel vaker terugkerende oorklachten ontwikkelen dan kinderen bij wie de behandeling wordt uitgesteld of die een placebo krijgen. In conventionele medische kringen is het nu algemeen aanvaard dat artsen bij oorpijn niet meteen tot medicatie moeten overgaan of behandeling zelfs helemaal achterwege moeten laten.
Deze en andere onderzoeken bewijzen dat antibiotica inderdaad de immuniteitsreactie van het lichaam op een infectie kunnen onderdrukken en een situatie kunnen veroorzaken waarin de infectie terugkeert.

Enkele antibiotica en hun specifieke problemen

Chlooramfenicol

Het gebeurt niet zelden dat dit medicijn een vermindering van het aantal witte bloedlichaampjes veroorzaakt. Het gaat hierbij vooral om de witte bloedcellen die strijden tegen bacteriën die het menselijk lichaam binnendringen (granulocyten). In een op de 100.000 gevallen kan dat de dood tot gevolg hebben, doordat de beenmergfunctie wordt onderdrukt.

* Een breed-spectrum-antibioticum is een antibioticum dat een groot aantal verschillende bacteriën kan doden. Een smal-spectrum-antibioticum is veel specifieker en over het algemeen gericht op één soort bacterie.

Daarom is chlooramfenicol in Europa en Noord-Amerika uit de handel genomen. In veel Afrikaanse landen wordt het echter nog altijd gebruikt.

Tetracyclines

Tetracyclines worden verkocht onder verschillende merknamen, zoals Dagracycline, Dumoxin, Unidox, Vibramycin en Vibra-S. Zij kunnen schade toebrengen aan de groeiende botten en tanden van de foetus en van kinderen beneden de zeven jaar. Tetracyclines worden geabsorbeerd door botten en tanden, omdat het medicijn een verbinding aangaat met calciumfosfaat. Dit brengt schade toe aan het tandglazuur, veroorzaakt een geelbruine verkleuring van de tanden en een verhoogde kans op cariës.
Van tetracyclines is bekend dat zij de opname van sommige B-vitaminen in de darmen verstoren en daarmee het gehalte van het lichaam aan deze vitaminen verlagen. Zij kunnen ook de darmflora verstoren. Bovendien kunnen tetracyclines diarree veroorzaken, vooral bij langdurig gebruik. Het komt ook voor dat zij de druk binnen in de schedel verhogen. We spreken dan van een benigne (= goedaardige) intracraniale hypertensie.
De tetracyclines zijn in potentie zeer schadelijke antibiotica. Zij worden vaak voorgeschreven voor de behandeling van jeugdpuistjes. In zo'n geval moeten zij drie tot zes en in sommige gevallen zelfs twaalf maanden lang worden gebruikt. Ik maak me ongerust over het feit dat mensen deze soort antibiotica gedurende zulke lange perioden gebruiken.

Aminoglycosiden

Tot deze groep van antibiotica behoren streptomycine (het medicijn tegen tbc), gentamycine, kanamycine, tobramycine, neomycine en amikacine. Zij worden vaak gebruikt om infecties te behandelen waarbij de binnendringende bacteriën infecties in de urinewegen, buikvliesontsteking en wondinfecties na een darmoperatie veroorzaken. Deze antibiotica zijn behoorlijk giftig; zij kunnen schade toebrengen aan de gehoorzenuw en op die manier tot doofheid leiden. Zij kunnen ook de nieren beschadigen en huiduitslag en koorts veroorzaken.

Sulfonamiden

Sulfonamiden kunnen enkele ernstige bijwerkingen veroorzaken, waaronder allerlei soorten allergische reacties (huiduitslag, koorts, leverontsteking, vermindering van het aantal witte bloedlichaampjes, bloeduitstortingen en bloedarmoede door een tekort aan rode bloedlichaampjes), diarree en de vorming van urinestenen. Van sulfonamiden is ook bekend dat zij alvleesklierontsteking en suikerziekte kunnen veroorzaken.
Tot de minder ernstige bijwerkingen behoren een algeheel gevoel van malaise, hoofdpijn, misselijkheid en braken, maar deze zijn gewoonlijk

van voorbijgaande aard. Sulfonamiden worden verkocht onder de merknamen Bactrimel, Co-trimoxazol, Eusaprim, Sulfotrim en Trimoxol.

Misbruik van antibiotica – de oorzaken

Het is zeer belangrijk dat we leren van de fouten die we in het verleden met antibiotica hebben gemaakt, zodat ze in de toekomst niet zullen worden herhaald. We moeten weten wanneer en waarom wij de verkeerde weg zijn ingeslagen.

Antibiotica worden vaak voorgeschreven voor virale infecties, zoals verkoudheid, griep, ziekte van Pfeiffer, herpesinfecties en maag- en darmontstekingen. Zoals in het vorige hoofdstuk uiteengezet hebben antibiotica geen enkel nut bij het behandelen van virale infecties, omdat zij de virussen niet doden en ook de vermenigvuldiging ervan niet remmen. Soms kan een virusinfectie het immuunsysteem verzwakken, vooral bij bepaalde risicogroepen, zoals ouderen, erg jonge kinderen, mensen die net een operatie hebben ondergaan en trauma-patiënten, en dan leiden tot een bijkomende bacteriële infectie. Dit is vaak de reden dat een antibioticum wordt voorgeschreven bij virale infecties. Het is natuurlijk verstandiger om af te wachten of een bacteriële infectie zich ontwikkelt en zo nodig de immuniteit van de patiënt te stimuleren om te voorkomen dat er zich een secundaire bacteriële infectie ontwikkelt.

Antibiotica worden ook voorgeschreven voor betrekkelijk onschuldige infecties, die met eenvoudige middelen te behandelen zijn. Heel vaak hoeft een infectie helemaal niet behandeld te worden, omdat het lichaam heel goed in staat is deze op eigen kracht te overwinnen. Maar indien nodig kan deze strijd worden ondersteund met natuurlijke middelen. Het is belangrijk om uw lichaam de strijd tegen een infectie te laten voeren, omdat u op die manier een natuurlijke weerstand tegen die specifieke infectie opbouwt. Alleen als het duidelijk is dat het lichaam de strijd niet kan winnen, moet u ingrijpen. Bedenk, dat veel antibiotica de bacteriën niet – zoals algemeen wordt aangenomen – helemaal doden, maar alleen de groei ervan remmen. Uw immuunsysteem moet de rest doen.

Neem niet te snel uw toevlucht tot antibiotica, gebruik ze alleen als laatste redmiddel. Dit boek beschrijft de middelen die in het beginstadium van een infectie kunnen worden aangewend. Als deze middelen geen effect hebben, kan het gebruik van antibiotica worden overwogen. Op deze manier wordt het gebruik van antibiotica eerder uitzondering dan regel, en wordt bacteriële resistentie een minder groot probleem.

Wat moet u doen als een antibioticum moet worden gebruikt?

Er zijn een aantal dingen die u kunt doen om de negatieve effecten die een antibioticum kan hebben tegen te gaan en om de werkzaamheid van het antibioticum te verhogen:

- Gebruik gedurende de antibioticakuur biogarde of andere bacteriële supplementen, zoals Biodophilus-capsules, om schade aan de darmbacteriën, die belangrijk zijn voor gezonde darmen, te voorkomen.

- Gebruik een immuniteitsversterkend middel om de immuniteitsreactie van uw lichaam tegen de infectie te ondersteunen, omdat er aanwijzingen zijn dat antibiotica verschillende delen van het immuunsysteem kunnen verzwakken. (Natuurlijke middelen die de immuniteit kunnen versterken worden besproken in het hoofdstuk 6)

- Neem gedurende de antibioticakuur extra vitamine C in. Het is bekend, dat vitamine C de concentratie van bepaalde antibiotica in het bloed verhoogt en ze derhalve effectiever maakt. Ik raad een dosis van 2000-3000 mg per dag aan.

- Maak de antibioticakuur altijd af. Het voortijdig stoppen met de kuur werkt de ontwikkeling van bacteriële resistentie in de hand, hetgeen het moeilijker maakt om een eventueel terugkerende infectie te behandelen.

- Zorg dat u op de hoogte bent van alle bijwerkingen voordat u een antibioticum gebruikt. Uw huisarts en uw apotheker kunnen u aan de gewenste informatie helpen.

PRAKTIJKVOORBEELD 4 – **Gerard: telkens terugkerende oorontstekingen en infecties in de onderste luchtwegen**

Toen Gerard met zijn moeder op mijn spreekuur verscheen was hij zeven jaar. Hij leed aan telkens terugkerende oorontstekingen en infecties in de onderste luchtwegen. Zijn huisarts had hem iedere keer dat hij oorpijn of een infectie in de luchtwegen had behandeld met antibiotica. Zijn moeder gaf mij een lijst met de gebruikte antibiotica en de data waarop zij waren voorgeschreven. (Noteer altijd de medicijnen die u hebt voorgeschreven gekregen en de data, zoals Gerards moeder deed.) Hier volgt de lijst.

Datum	*Medicijn*
11/02/1993	Distaclor
18/03/1993	Erythroped
17/05/1993	Augmentin
30/05/1993	Septrine
10/06/1993	Distaclor
10/07/1993	Septrine
15/07/1993	Augmentin
01/09/1993	Augmentin

10/09/1993	Augmentin
27/09/1993	Distaclor
23/12/1993	Augmentin
04/01/1994	Septrine
24/02/1994	Erythroped
27/02/1994	Distaclor

In twaalf maanden tijd werden er aan dit jonge kind in totaal veertien antibiotica gegeven. Dit is verbijsterend, maar het is niet eens het meest schrijnende geval dat ik ben tegengekomen. Toen ik Gerard liet onderzoeken, bleek dat zijn darmflora ernstig verstoord was en dat zijn alvleesklier beschadigd was. Verandering van voeding, homeopathische middelen om zijn immuniteit te versterken, hoge doses vitamine C en biogarde hielpen dit kind enorm. Sinds hij bij me kwam heeft hij geen enkel antibioticum meer nodig gehad en zijn de infecties gestopt. Dit is het mooie van de natuurlijke geneeskunde. Het is mogelijk om mensen te helpen met gebruikmaking van veilige geneesmiddelen.

Het praktijkvoorbeeld van Gerard illustreert dat het ondoordacht voorschrijven van antibiotica immense schade aanricht. Niet alleen aan de patiënten die de bijwerkingen van deze medicijnen moeten ondergaan, maar ook aan de medische wereld wier geloofwaardigheid wordt ondermijnd. Dat een dergelijke hoeveelheid medicijnen aan een jong kind wordt voorgeschreven is schokkend. Het maakt bovendien duidelijk dat er iets schort aan de opleiding van artsen, die bijna uitsluitend gericht is op het gebruik van synthetische medicijnen. Het is noodzakelijk dat artsen worden geschoold in het gebruik van natuurlijke geneesmiddelen. Interessant genoeg staan de meeste medische studenten en artsen positief tegenover een dergelijke scholing. Met uw hulp kan dit gebeuren.

---

4. Conventionele en alternatieve behandelmethoden

'Waar wetenschap en intuïtie elkaar ontmoeten'

De conventionele methode om infecties te behandelen
De conventionele geneeskunde is erg ziekte-gericht, zozeer dat de ziekte bijna los wordt gezien van de patiënt. Infecties worden dan ook zuiver vanuit curatief standpunt benaderd. Om de patiënt van de ziekte te genezen, worden medicijnen gebruikt die de bacterie of schimmel doden. Als twee patiënten dus aan een zelfde infectie lijden, zoals een door streptokokken veroorzaakte keelpijn, krijgen zij ook dezelfde behandeling.
Deze curatieve, of antimicrobiële, methode om infecties te behandelen kijkt zelden naar de oorzaken die tot de infectie hebben geleid. Dat is jammer, want het vinden van deze oorzaken is van essentieel belang als het gaat om het voorkómen van ziekten. De achterliggende oorzaken van infecties kunnen bij de ene patiënt verband houden met een verzwakt immuunsysteem, bij een andere met slechte voeding en bij weer een andere met emotionele stress of een trauma. Dit geldt vooral, wanneer de infecties telkens terugkeren. De conventionele geneeskunde gebruikt een antibioticum niet alleen om de primaire infectie te behandelen, maar ook alle volgende infecties. En als het ene antibioticum niet helpt, probeert men een ander.
Ondanks de bijwerkingen die deze medicijnen veroorzaken worden antibioticakuren gemakkelijk en veelvuldig voorgeschreven. Dit automatisme maakt duidelijk dat er iets schort aan de opleiding van artsen, die tijdens hun studie alleen deze ene methode om infecties te behandelen leren. Veel huisartsen zitten hierdoor in een lastig parket. Hun opleiding was gericht op het gebruik van medicijnen, maar veel artsen voelen zich steeds ongemakkelijker bij deze louter op medicatie gebaseerde benadering en gaan op zoek naar alternatieven. U kunt uw arts een steuntje in de rug geven door hem of haar aan te moedigen zich in deze alternatieven te verdiepen.
Veel patiënten komen bij mij omdat de conventionele geneeskunde voornamelijk gericht is op het genezen van ziekten en niet op het voorkómen ervan en omdat zij bijwerkingen kent. Zij weten dat ik voorstander ben van een veiliger en natuurlijker vorm van geneeskunde.

De conventionele geneeskunde
- *is gericht op het genezen van ziekten*
- *is niet holistisch; zij zoekt niet naar de achterliggende oorzaak*
- *kent bijwerkingen*

De alternatieve methode om infecties te behandelen
De alternatieve geneeskunde is meer patiënt-gericht en bekijkt de patiënt vanuit een veel bredere invalshoek. Zij gaat ervanuit dat u niet alleen bestaat uit een stoffelijk lichaam, maar dat u ook beschikt over een geest, uw psychisch lichaam (met een specifiek gedachtenpatroon dat de manier waarop u alles om u heen bekijkt beïnvloedt). Zij houdt rekening met het feit dat u een emotioneel lichaam hebt, dat sterk inwerkt op uw stoffelijke lichaam (woede bijvoorbeeld doet uw bloeddruk duidelijk stijgen) en een ziel of spiritueel lichaam, dat de eigenlijke kern is van uw mens-zijn. Een vorm van geneeskunde die rekening houdt met deze verschillende niveaus van mens-zijn en zich bij de behandeling richt op al deze niveaus maakt het mogelijk een beter inzicht te krijgen in de patiënt en in de oorzaken van zijn ziekte. Een heel goed voorbeeld van de wisselwerking tussen geest en lichaam staat beschreven in hoofdstuk 10, dat over stress gaat.
Door haar brede oriëntatie is de alternatieve geneeskunde zowel in staat om ziekten te *genezen* als ziekten te *voorkomen*. Omdat zij niet alleen kijkt naar de symptomen van de ziekte, maar zoekt naar de achterliggende oorzaken, is zij veel meer een preventieve dan een curatieve vorm van geneeskunde. Daarom is de alternatieve geneeskunde vaak beter in staat om de terugkeer van een ziekte te voorkomen dan de conventionele geneeskunde. Behandeling met natuurlijke immuniteitsversterkende middelen, homeopathische geneesmiddelen en mineraal-/vitaminepreparaten helpt ervoor te zorgen dat een ziekte in de toekomst niet terugkeert.
Deze vorm van geneeskunde maakt patiënten wijzer en geeft hun meer controle over hun eigen gezondheid. Zij doorbreekt ook de vicieuze cirkel van het afhankelijk worden van het ene antibioticum na het andere. Omdat alternatieve geneesmiddelen natuurlijk zijn, hebben zij meestal geen bijwerkingen. (De bijwerkingen van de geneesmiddelen worden in elk hoofdstuk van dit boek behandeld.)

De alternatieve geneeskunde
- *is zowel gericht op het genezen als op het voorkómen van ziekten*
- *is holistisch*
- *kent weinig of geen bijwerkingen*

Hoewel de conventionele en de alternatieve vorm van geneeskunde zeer verschillend zijn, hebben zij hetzelfde doel: u, de patiënt, te helpen. Wanneer zowel conventionele als alternatieve artsen het belang van de patiënt vooropstellen en hun eigen gevestigde belangen daaraan ondergeschikt maken, komt dit ons allemaal ten goede. Conventionele artsen kunnen leren van alternatieve artsen, terwijl laatstgenoemden hun voordeel kunnen doen met het medisch-wetenschappelijk onderzoek, laboratorium-

onderzoeken en de technische verworvenheden van de conventionele geneeskunde.
Met onbevooroordeeldheid en wederzijds respect komen we al een heel eind. Ik ben van mening dat de conventionele en de alternatieve geneeskunde elkaar nodig hebben, en dat zij zowel de patiënt als elkaar veel te bieden hebben. Volgens mij ligt de toekomst van de geneeskunde in het integreren van beide vormen van geneeskunde tot een geneeskunst waarin zowel plaats is voor het intuïtief vermogen van de arts als voor zijn of haar technische vaardigheden. De kunst van het genezen kan samen met de medische wetenschap zorgen voor een betere toekomst.

5. Infecties bij kinderen

'Antibiotica – de uitzondering, niet de regel'

Ieder jaar worden er in de VS alleen al voor het behandelen van oorpijn bij jonge kinderen antibiotica tot een waarde van ruim 500 miljoen dollar voorgeschreven. Het voorschrijven van antibiotica voor infecties bij kinderen heeft de afgelopen twintig jaar onrustbarende proporties aangenomen. Lees het praktijkvoorbeeld in het voorwoord nog eens, en u weet weer hoe kinderen soms worden behandeld. Dit buitensporig vaak voorschrijven van antibiotica kost veel, niet alleen in geld, maar ook in termen van menselijk geluk.

In dit hoofdstuk leert u dat de meeste infecties bij kinderen worden veroorzaakt door virussen en dus geen antibiotica behoeven. Ik beschrijf alleen infectieziekten die bij kinderen veel voorkomen, zoals infecties in de bovenste luchtwegen, de onderste luchtwegen, de darmen en de urinewegen. Ik wijs ook op situaties waarin het gebruik van antibiotica nodig *kan* zijn. Maar onthoud alstublieft dat de meeste infecties bij kinderen *geen* antibiotica behoeven.

Infecties in de bovenste luchtwegen

NEUSVERKOUDHEID, VOORHOOFDSHOLTE-, KEEL- EN OORONTSTEKING

Vijftig procent van alle infecties bij kinderen doen zich voor in de luchtwegen. Infecties in de bovenste luchtwegen, zoals neusverkoudheid en griep, worden veroorzaakt door virussen. Antibiotica hebben dus geen enkel nut bij het behandelen ervan. Zelfs als het neusvocht geel- of groenachtig is, laten uitstrijkjes meestal geen bacteriële groei zien. Laat in geval van twijfel uw huisarts een uitstrijkje van het neusslijm nemen, omdat dit zal uitwijzen of het om een bacteriële infectie gaat. Neusverkoudheid wordt in de meeste gevallen veroorzaakt door een virus en reageert dan goed op een antivirale behandeling.

Tot de antivirale behandeling behoren: het versterken van het immuunsysteem, het gebruik van een antiviraal homeopathisch geneesmiddel, extra vitamine C en, in sommige gevallen, een zinksupplement. (Meer over de behandeling van virale infecties vindt u in de hoofdstukken 6 en 7 die gaan over kruidengeneeskunde en homeopathie.)

Kinderen die niet reageren op een antivirale behandeling zijn vaak allergisch of overgevoelig voor een of meer voedingsmiddelen. Meestal gaat het hierbij om slijmvormende voedingsmiddelen, zoals zuivelproducten of suiker. Bij het vermoeden van een voedselallergie is het zeer belangrijk het betreffende voedingsmiddel gedurende de behandeling te mijden. Er zijn twee situaties die het gebruik van een antibioticum kunnen recht-

vaardigen. De eerste ervan is acute *otitis media* of middenoorontsteking. Ongeveer 30-50% van deze ontstekingen (over het exacte percentage lopen de meningen uiteen) wordt veroorzaakt door bacteriën, meestal door *Streptococcus pneumoniae*. De andere situatie waarin een antibioticum nodig kan zijn is een door hemolytische streptokokken veroorzaakte keelpijn. Echter: slechts ongeveer 30% van de keelontstekingen wordt veroorzaakt door bacteriën. Als uw huisarts een antibioticum voorschrijft voor een oor- of keelontsteking, zorg er dan voor dat u er een immuniteitsversterkend middel bij gebruikt (zie hoofdstuk 6, *Kruidengeneeskunde*), alsmede biogarde om de darmflora te beschermen (zie hoofdstuk 8, *Voedingstherapie*). Onderzoeken hebben aangetoond dat het gebruik van vitamine C in combinatie met een antibioticum de werkzaamheid van het antibioticum kan versterken, het dus effectiever maken. Als gevolg van dit stimulerend effect kan ook de duur van de antibioticakuur worden verkort, waardoor de bijwerkingen worden verminderd. Dit is duidelijk een terrein dat nader onderzoek verdient.
Bij middenoorontstekingen verdient het aanbeveling een paar dagen te wachten met het gebruiken van een antibioticum. In veel gevallen hoeft helemaal geen antibioticum te worden gebruikt. Wetenschappers hebben onlangs vastgesteld dat er een verband bestaat tussen allergie voor zuivelproducten en telkens terugkerende oorontstekingen. Deze mogelijkheid moet dus worden uitgesloten voordat tot het gebruik van een antibioticum wordt overgegaan (Schmidt, 1990).
Uit onderzoek is ook gebleken dat veel kinderen die antibiotica voorgeschreven krijgen voor oorpijn geen bacteriële infectie in het middenoor hebben. Andere mogelijke oorzaken van oorpijn zijn: een virusinfectie, een verstopping van de buis van Eustachius (deze buis verbindt de keelholte en het middenoor en kan verstopt raken door infecties in de keel) en een ontsteking van het slijmvlies dat de gehoorgang bekleedt. Een middenoorontsteking kenmerkt zich door oorpijn, gepaardgaand met koorts. Bij onderzoek blijkt het trommelvlies rood en gezwollen te zijn. Kinderen die nog te jong zijn om over oorpijn te klagen zijn meestal prikkelbaar en onrustig. De pijn kan zo hevig zijn dat zij het uitschreeuwen.
Onderzoeken hebben aangetoond dat, als een antibioticum nodig is, korte kuren even effectief zijn als lange. Twee-, vier- en vijfdaagse kuren zijn bijvoorbeeld net zo effectief als een tiendaagse kuur. Uitstel van de behandeling met een of twee dagen en het slechts gebruiken van pijnstillende middelen laat zien of een antibioticum echt nodig is.
Het gebruik van antibiotica bij de behandeling van oorpijn kan leiden tot telkens terugkerende oorontstekingen, veroorzaakt door multiresistente bacteriën. Zo is bijvoorbeeld gebleken dat kinderen die worden behandeld met amoxycilline twee tot acht keer zoveel kans lopen dat de ontsteking terugkeert.

- *De meeste infecties in de bovenste luchtwegen worden veroorzaakt door virussen. Middenoorontsteking is in ongeveer 30-50%, keelpijn in ongeveer 30% van de gevallen van bacteriële aard. In deze twee situaties kan een antibioticum nodig zijn.*
- *Als het nodig is om een antibioticum te gebruiken voor een middenoorontsteking of voor keelpijn, neem er dan zowel een immuniteitsversterkend middel als biogarde bij. Ook vitamine C kan de werkzaamheid van het antibioticum versterken.*

Infecties in de onderste luchtwegen

Ontstekingen van de luchtpijp en luchtpijptakken

Net zoals bij infecties in de bovenste luchtwegen, is er ook bij de behandeling van infecties in de onderste luchtwegen slechts een zeer beperkte rol voor antibiotica weggelegd.

Kroep

Kroep wordt in 95% van de gevallen veroorzaakt door een virus (meestal het para-influenzavirus). Een antivirale behandeling is hier dan ook op zijn plaats. Het is evenwel belangrijk om aandacht te schenken aan de overige 5% van de gevallen, omdat deze door een bacterie (*Haemophilus influenzae*) worden veroorzaakt. Deze bacteriële infecties, die het kind gewoonlijk veel zieker maken en vergiftigingsverschijnselen teweegbrengen, kunnen levensbedreigend zijn. Als er ook maar het geringste vermoeden bestaat dat de kroep door bacteriën wordt veroorzaakt (zie de verschijnselen in tabel 2), moet het kind in het ziekenhuis worden opgenomen. Over het algemeen is de behandeling van kroep met een antibioticum 'voor het geval er sprake is van een bacteriële infectie' echter ongewenst, omdat er in 95% van de gevallen sprake is van een virale infectie en antibiotica dus helemaal niet nodig zijn.

Tabel 2: Symptomen van bacteriële kroep

1. Het kind voelt zich erg ziek en vertoont vergiftigingsverschijnselen (niet bij virale kroep)
2. Het kind heeft mogelijk een omfloerste stem
3. Het kind kan geen speeksel en kwijl doorslikken

Bronchitis

Anders dan bij volwassenen wordt acute bronchitis bij kinderen meestal veroorzaakt door een virus. De mogelijke boosdoeners zijn het respiratoire syncytiale virus, het para-influenzavirus, het adenovirus en het rinovirus. Ook hier is een antivirale behandeling op zijn plaats.
Bronchitis wordt bij kinderen slechts zeer zelden veroorzaakt door bacte-

riën. Als dit het geval is, is de infectie ernstiger van aard en wordt dan meestal veroorzaakt door *Streptococcus pneumoniae*. In de meeste gevallen van acute bronchitis bij kinderen hebben antibiotica geen enkel nut. Alleen als er zich verschijnselen voordoen van een ernstige infectie in de onderste luchtwegen (zie tabel 3), moet het gebruik van een antibioticum worden overwogen. Sommige artsen laten het kind als er tekenen zijn van een bacteriële infectie voor alle zekerheid in het ziekenhuis opnemen; anderen opteren voor behandeling thuis.
Hoewel de infectie meestal veroorzaakt wordt door *Streptococcus pneumoniae*, is het belangrijk de mogelijkheid van een door stafylokokken veroorzaakte longontsteking uit te sluiten. Deze ziekte vereist immers een heel andere behandeling: in de conventionele geneeskunde worden hiervoor als antibiotica meestal cloxacilline of flucloxacilline gekozen. De meeste sterfgevallen als gevolg van longontsteking bij kinderen zijn toe te schrijven aan een door *Staphylococcus spp.* veroorzaakte infectie, en de meeste van deze kinderen kregen niet de antibiotica cloxacilline of flucloxacilline voorgeschreven. Longontstekingen die worden veroorzaakt door andere bacteriën komen, behalve bij mensen wier immuunsysteem verzwakt is, zeer zelden voor.
Bij een door bacteriën veroorzaakte longontsteking kunnen antibiotica een belangrijke rol spelen. Ik raad u aan om gedurende de kuur hoge doses vitamine C te gebruiken.

Tabel 3: Symptomen van een ernstige infectie in de onderste luchtwegen

1. De snelheid van de ademhaling neemt toe tot
   - meer dan 60 ademhalingen per minuut bij kinderen tot twee jaar
   - meer dan 40 ademhalingen per minuut bij peuters
   - meer dan 30 ademhalingen per minuut bij schoolgaande kinderen
2. Ademnood (naar adem happen van benauwdheid)
3. Cyanose (blauwachtige verkleuring van huid of slijmvliezen)
4. De hartslag neemt toe tot
   - meer dan 180 slagen per minuut bij kinderen tot twee jaar
   - meer dan 160 slagen per minuut bij peuters
   - meer dan 110 slagen per minuut bij schoolgaande kinderen

- *Acute bronchitis bij kinderen wordt in de meeste gevallen veroorzaakt door een virus, zelden door bacteriën. In het laatste geval is* Streptococcus pneumoniae *gewoonlijk de boosdoener. Wees verdacht op de symptomen van een ernstige infectie in de onderste luchtwegen.*

Praktijkvoorbeeld 5 – **Seán: hardnekkige hoest**

Seán had al drie jaar een hardnekkige hoest. De vierjarige jongen begon te hoesten toen hij zes maanden oud was, kort nadat hij was ingeënt met het DKTP-vaccin (tegen difterie, kinkhoest, tetanus en poliomyelitis). De hoest was droog, trad aanvalsgewijs op en werd 's nachts erger; af en toe hoestte de jongen ook geel slijm op. Alle onderzoeken (röntgenopnamen van de borst, bloedtests, sputumonderzoek en uitstrijkjes) waren negatief. Het kind at gezond en zijn voeding was evenwichtig samengesteld.
Ik behandelde de aandoening als een virusinfectie die het gevolg was van vaccinatie en schreef een antiviraal homeopathisch geneesmiddel, hoge doses vitamine C en een immuniteitsversterkend middel voor. De hoest, die 3[$^{1}/_{2}$] jaar zo hardnekkig had standgehouden, nam snel af en was binnen twee weken verdwenen.
Seáns hoest werd veroorzaakt door een virusinfectie in de onderste luchtwegen en reageerde heel goed op de antivirale behandeling. Het feit dat de hoest meteen na de vaccinatie begon was interessant, omdat ik veel kinderen negatief heb zien reageren op bepaalde vaccins, vooral de vaccins tegen kinkhoest en mazelen. Deze vaccins blijken bij sommige kinderen het immuunsysteem te verzwakken en het mogelijk te maken dat er zich een chronische infectie ontwikkelt, zoals bij Seán. In dergelijke situaties raad ik homeopathische vaccinatie aan.
Het komt vaker voor dat vaccins problemen veroorzaken, vooral de DKTP- en BMR-vaccins (de laatste tegen bof, mazelen en rode hond). Daarom kiezen veel ouders voor het DTP-vaccin, zonder het kinkhoest-vaccin.
Dit voorbeeld maakt duidelijk dat chronische (maar ook acute) virusinfecties bij jonge kinderen betrekkelijk eenvoudig kunnen worden behandeld. Als een kind niet reageert, verwijs ik hem of haar door voor onderzoek om te zien of andere factoren een rol spelen bij de infectie – allergieën, reacties op geneesmiddelen of vaccins, slechte voeding, blootstelling aan milieu-verontreinigende stoffen zoals zware metalen, parasieten of dat er sprake is van een minder vaak voorkomende infectieziekte, zoals bijvoorbeeld tuberculose. Door het kind grondig te onderzoeken, waarbij zowel gebruik wordt gemaakt van conventionele geneeskundige technieken als van alternatieve onderzoeksmethoden, heb ik in alle gevallen de achterliggende oorzaak kunnen vinden. Dit is veel beter dan het kind telkens weer min of meer op goed geluk te behandelen, in de hoop dat iets zal helpen. Het heeft geen zin het kind lang achtereen met geneesmiddelen te behandelen. Ik ben van mening dat het veel zinvoller is tijd en energie te steken in het vinden van de achterliggende oorzaak en deze te behandelen.

Met piepende ademhaling gepaard gaande bronchitis en astma

Het heeft weinig zin om antibiotica te gebruiken bij kinderen die een met piepende adem gepaard gaande bronchitis of astma hebben, omdat beide aandoeningen worden veroorzaakt door virussen. De boosdoeners zijn, net zoals bij acute bronchitis, het respiratoire syncytiale virus, het rinovirus en het para-influenzavirus. In deze situatie is een antivirale behandeling geboden en zijn antibiotica ongewenst. Een met piepende ademhaling gepaard gaande bronchitis wordt slechts zelden veroorzaakt door bacteriën. Als dit zo is, is *Streptococcus pneumoniae* meestal de boosdoener.

Telkens terugkerende infecties in de luchtwegen

Sommige kinderen lijden aan telkens terugkerende infecties in de bovenste of onderste luchtwegen of aan een combinatie van beide. Deze infecties worden *altijd* veroorzaakt door virussen. In sommige gevallen kunnen zij worden verergerd door omgevingsfactoren, zoals stress, een rokerige omgeving of een vochtig huis. Het heeft geen zin om antibiotica te gebruiken; deze aandoeningen vragen om een antivirale behandeling.

Het kind dat niet beter wordt

Naast infectieuze oorzaken kunnen er ook andere oorzaken zijn waardoor een kind niet reageert op een behandeling met conventionele medicijnen, alternatieve geneesmiddelen of een combinatie van beide. Hieronder volgen vijf situaties waarop u verdacht moet zijn.

1. Tuberculose

Het kind is vaak vrij van symptomen en de ziekte wordt pas opgemerkt nadat er een röntgenfoto van de borst is gemaakt. Gewichtsverlies kan deel uitmaken van het ziektebeeld. Tuberculose komt in Europa niet vaak voor.

2. Cystische fibrose

Cystische fibrose is een ziekte die bij kinderen niet vaak voorkomt; ongeveer 1 op de 2000 kinderen lijdt aan de ziekte. Cystische fibrose kan gepaard gaan met achterblijven in de groei, geen controle over de ontlasting en verzakking van het rectum. Meestal wordt de ziekte al op zeer jonge leeftijd gediagnostiseerd. Maar in een aantal gevallen, wanneer de symptomen minder ernstig zijn, wordt cystische fibrose pas in de latere kinderjaren vastgesteld. De diagnose wordt gesteld door het vinden van hoge concentraties natrium en chloride in het zweet.

3. Mycoplasma-longontsteking

Deze ziekte treft vooral kinderen in de schoolgaande leeftijd (5-15 jaar) en kan een veelheid aan infecties in de luchtwegen veroorzaken. Het ziektebeeld van deze kinderen kenmerkt zich door een algeheel gevoel van malaise, gebrek aan eetlust en een hardnekkige hoest. Ook koorts en keelpijn kunnen zich voordoen. De vermoedelijke diagnose wordt vaak gesteld op basis van een röntgenfoto van de borst en bevestigd door het vinden van specifieke antistoffen in het bloed.

4. Verminderd aantal IGA's
IGA is een antistof die het slijmvlies van de luchtwegen beschermt. Kinderen met een verzwakt immuunsysteem (als gevolg van een verminderd aantal IGA's) blijven achter in de groei en hebben vaak geen controle over de ontlasting. Een bloedtest volstaat om de diagnose van deze ziekte te stellen. Zij komt veel minder vaak voor dan de hiervoor vermelde ziekten.

5. Inslikken van een vreemd voorwerp
Soms gebeurt het, dat een kind een klein voorwerp inslikt. Baby's en peuters lopen het meeste risico, omdat zij de neiging hebben alles in hun mond te stoppen. Het vreemde voorwerp kan de luchtweg op elk punt blokkeren. Als het blijft steken in het onderste gedeelte van de luchtweg zijn er een tijdlang geen symptomen totdat een deel van de long inklapt of er zich een infectie ontwikkelt. Als dit wordt vermoed als de oorzaak van het feit dat een hoest bijvoorbeeld niet reageert op een behandeling, moeten röntgenfoto's van de borst en van de zijde worden genomen. Doorzichtige voorwerpen, zoals een snoepje, worden echter soms niet zichtbaar op de röntgenfoto. In dat geval kan een bronchoscopie (inwendig onderzoek van de luchtpijpen) noodzakelijk zijn.

De ziekten 1 tot en met 4 kunnen het beste worden behandeld met een combinatie van conventionele en alternatieve geneesmiddelen. In al deze gevallen is onderzoek belangrijk om te bepalen welke geneesmiddelen gebruikt moeten worden, welke dosis gegeven moet worden en hoe lang de behandeling moet duren. De behandeling vereist een goede samenwerking tussen kinderarts en homeopathisch arts. Een kind dat een vreemd voorwerp heeft ingeslikt en in de luchtpijp heeft gekregen kan het beste in een ziekenhuis worden behandeld.

Infecties in andere delen van het lichaam

GASTRO-ENTERITIS (ONTSTEKING VAN MAAG EN DARM)
Net zoals de meeste infecties in de luchtwegen, wordt 60% van de gevallen van gastro-enteritis bij kinderen beneden de vijf jaar veroorzaakt door een virus. Bacteriën zijn maar zelden de oorzaak. Maar zelfs als vermoed wordt dat het om een bacteriële infectie gaat, kunnen antibiotica de *verkeerde* vorm van behandeling zijn. Antibiotica kunnen bij gastro-enteritis de lichamelijke toestand verslechteren doordat zij de diarree verergeren. Zij kunnen het kind ook vatbaar maken voor een bijkomende besmetting met *Candida spp.* of *Staphylococcus spp.*, die allebei levensbedreigend kunnen zijn. Als een bacteriële infectie wordt vermoed, moet een kweekje van de ontlasting worden gemaakt. De behandeling moet altijd worden ondersteund door orale of intraveneuze toediening van vocht.

- *Gastro-enteritis wordt in de meeste gevallen veroorzaakt door een virus. Zelfs als het om een bacteriële infectie gaat moet men zeer voorzichtig zijn met het gebruik van antibiotica.*

URINEWEGINFECTIES

In tegenstelling tot de meeste infecties in de luchtwegen en de darmen, worden infecties in de urinewegen meestal veroorzaakt door bacteriën. Dit betekent dat antibiotica een rol kunnen spelen bij de behandeling van deze infecties. Het verdient echter aanbeveling om eerst te proberen de infectie met natuurlijke methoden te bestrijden. Ik heb met succes veel gevallen van urineweginfecties behandeld door uitsluitend natuurlijke geneesmiddelen te gebruiken. Het ziektegeval vermeld in op blz. 38, waarbij ik cranberrysap en andere natuurlijke middelen gebruikte om een urineweginfectie te behandelen, laat zien dat antibiotica vaak niet nodig zijn. Als men de infectie niet met natuurlijke methoden onder controle krijgt, kan men altijd nog op het gebruik van antibiotica overgaan.
Urineweginfecties worden meestal veroorzaakt door organismen die afkomstig zijn uit de darmen. De oorzaak van de infectie is gewoonlijk een verontreiniging van de vagina of de urinebuis met ontlasting uit de darmen, waardoor darmbacteriën toegang krijgen tot de urinewegen.
De meest voorkomende bacterie bij infecties in de urinewegen is *Escherichia coli (E. coli)*. Bij kinderen beneden de vijf jaar die aan telkens terugkerende infecties in de urinewegen lijden kan het beste een röntgenfoto van het nierbekken worden genomen. Hierbij wordt een kleurstof in een van de aderen in de arm geïnjecteerd, waarna de urinewegen worden gecontroleerd op afwijkingen. De meest voorkomende afwijking die hierbij aan het licht komt is het terugvloeien van urine van de blaas naar de urineleider.

- *De meeste infecties in de urinewegen worden veroorzaakt door bacteriën; dit betekent dat antibiotica een rol kunnen spelen bij de behandeling van deze infecties. Probeer echter eerst een natuurlijk geneesmiddel.*

SAMENVATTING

De meeste infecties bij kinderen worden veroorzaakt door *virussen*. Of we het nu hebben over infecties in de bovenste luchtwegen, de onderste luchtwegen of de darmen: het zwaartepunt van de behandeling moet liggen bij antivirale geneesmiddelen, *niet bij antibiotica!*

Voor de behandeling van virusinfecties geldt:

- Versterk het immuunsysteem; in hoofdstuk 6, blz. 62 e.v. vindt u een beschrijving van hoe u dit kunt doen.

- Neem extra vitamine C in; dosering en gebruik worden besproken in hoofdstuk 9, blz. 106, waar voedingssupplementen aan de orde komen.
- Gebruik antivirale homeopathische geneesmiddelen; deze worden behandeld op blz. 82, hoofdstuk 7.

In een aantal situaties kan het gebruik van antibiotica echter nodig zijn. Het gaat hierbij om:
- Keelpijn met een geelachtige afscheiding op de amandelen; in 30% van deze gevallen gaat het om een bacteriële infectie.
- Middenoorontstekingen; 30-50% van deze ontstekingen wordt veroorzaakt door bacteriën. Wacht met het gebruik van antibiotica. Gebruik eerst natuurlijke geneesmiddelen.
- Infecties in de urinewegen; gebruik ook dan eerst natuurlijke geneesmiddelen.

In dit hoofdstuk heb ik alleen infectieziekten behandeld, die veel bij kinderen voorkomen. Ik hoop dat ik mijn standpunt omtrent het gebruik van antibiotica duidelijk heb uiteengezet en dat u nu begrijpt waarom *de meeste infecties niet met antibiotica behandeld hoeven te worden.*
We leven in een snelle, overgeorganiseerde en oppervlakkige maatschappij. Pijn en ziekte worden niet getolereerd, we willen onmiddellijke genezing. We betalen maar al te graag de prijs voor het niet werkelijk behandelen van de oorzaak van de ziekte, als we maar geen pijn hoeven te lijden. De medische wereld stimuleert deze houding door het voorschrijven van pillen die de ziekte moeten wegnemen of de verschijnselen bestrijden. Ik zie veel kinderen met telkens terugkerende infecties bij wie de ziekte duidelijk niet wordt behandeld. Keer op keer wordt er een lapmiddel gebruikt. Bij een dergelijke korte-termijn-aanpak is geen mens gebaat: het kind wordt niet beter, de ouders worden steeds bezorgder en de arts raakt steeds gefrustreerder omdat het aantal middelen dat hij of zij kan voorschrijven beperkt is. En dan is er nog het steeds groter wordende probleem van de bacteriële resistentie dat, in de hand gewerkt door het ongebreideld voorschrijven van antibiotica, de hele samenleving bedreigt.
De tijd waarin bij infecties als vanzelfsprekend antibiotica werden voorgeschreven behoort weldra tot het verleden. Het is absoluut noodzakelijk dat we gaan nadenken over het gebruik van deze medicijnen. Er is moed van uw kant voor nodig om antibiotica niet langer te accepteren als het vanzelfsprekende antwoord op alle infecties en om te vragen om een bredere aanpak. Deze brede aanpak omvat onder meer gezonde voeding, voedingssupplementen, natuurlijke geneesmiddelen en uitgebreide onderzoeksmethoden, waarbij zowel gebruik wordt gemaakt van alternatieve als conventionele geneeskundige technieken.

Het vraagstuk van de bijwerkingen die gepaard gaan met het gebruik van antibiotica is ook van groot belang. Omdat deze medicijnen voor het overgrote deel worden voorgeschreven voor infecties bij kinderen, maak ik me zeer bezorgd over de schade die zij bij jonge kinderen aanrichten. Ik vind dit onderwerp belangrijk genoeg om hierover een apart boek te schrijven. Dit temeer omdat er recentelijk in de medische literatuur veel interessante informatie over dit onderwerp is verschenen. Dit boek zal de feiten van het gebruik van antibiotica en de negatieve effecten die zij kunnen hebben op het menselijk lichaam op een rijtje zetten.
Houd er in de tussentijd rekening mee dat in veel gevallen onnodig antibiotica worden voorgeschreven. Dit geldt vooral voor infecties bij kinderen. Volgens het jaarverslag van de Geneeskundige Dienst van het Ierse ministerie van Volksgezondheid was amoxycilline, een antibioticum, in Ierland de afgelopen drie jaar het meest voorgeschreven medicijn. Ieder jaar wordt er in Ierland vanuit het volksgezondheidsbudget alleen al aan dit medicijn zo'n 3 miljoen pond uitgegeven. Andere antibiotica staan in Ierland ook hoog op de lijst van meest voorgeschreven medicijnen. Wordt het geen tijd dat we ons afvragen waarom deze medicijnen zo vaak worden voorgeschreven? Ik beschik niet over cijfers voor de particuliere medische sector, maar ik neem aan dat antibiotica ook daar heel vaak worden voorgeschreven.
In eerdere hoofdstukken heb ik het probleem van de resistentie tegen antibiotica behandeld en heb ik gewezen op de dringende noodzaak om actie te ondernemen. Ik heb ook laten zien dat veel infecties, vooral infecties bij kinderen, niet moeten worden behandeld met antibiotica. De meeste infecties reageren zeer goed op natuurlijke geneesmiddelen. In de volgende hoofdstukken ga ik nader in op deze natuurlijke geneesmiddelen en op de manier waarop zij werken. Laten we beginnen met de kruidengeneeskunde.

6. Kruidengeneeskunde

'De moeder van alle geneeswijzen'

Kruidengeneeskunde is de oudste en meest beproefde vorm van geneeskunde. Het is in zekere zin neerbuigend om erover te spreken in termen van 'alternatief', omdat zij ten grondslag ligt aan alle vormen van geneeskunst: conventionele geneeskunde, homeopathische geneeswijze, traditionele Chinese geneeskunst enz. Kruidengeneeskunde is de oudste vorm van geneeskunde, de moeder van alle geneeswijzen die vandaag de dag worden toegepast. De kruidengeneeskunde wordt al eeuwenlang in alle culturen beoefend en is voor 80% van de wereldbevolking nog altijd de belangrijkste vorm van medische behandeling. Het is triest dat sommige artsen kruidengeneeskunde afdoen als kwakzalverij, temeer omdat veel van de hedendaagse medicijnen (bijv. kinine, reserpine, efedrine en ipecacuanha) rechtstreeks afkomstig zijn van planten, en de meeste synthetische medicijnen hun werking ontlenen aan chemische stoffen, geëxtraheerd uit kruiden. Waarom heeft de medische wereld de geneeskrachtige kruiden niet omarmd, zoals met synthetisch bereide medicijnen? Het heeft volgens mij alles te maken met geld en macht, hoewel leermethoden op medische faculteiten hierbij ook een rol spelen.
Ten eerste valt er geen grof geld te verdienen aan kruiden. Geneeskrachtige kruiden kunnen niet worden gepatenteerd, waardoor hiermee geen woekerwinsten te behalen zijn. Medicijnen daarentegen kunnen, of zij nu synthetisch worden bereid of uit kruidenextracten geïsoleerd, worden gepatenteerd, in flessen worden gedaan en voor enorme bedragen worden verkocht. En dat is precies wat farmaceutische bedrijven doen. Daarom zijn zij zo rijk en in staat om zoveel medische projecten te financieren.
Dat de kruidengeneeskunde niet door de medische wereld werd omarmd heeft ook alles te maken met de manier waarop artsen aan medische faculteiten worden opgeleid. De opleiding van artsen is niet holistisch. De mens wordt slechts gezien als een stoffelijk lichaam. Het gebruik van farmaceutische medicijnen staat centraal, zelfs bij de behandeling van psychische of emotionele problemen. Er wordt weinig of geen aandacht besteed aan fundamentele zaken als gezonde voeding. U hoeft maar te kijken naar het voedsel dat geserveerd wordt in ziekenhuizen om het ongelooflijke gebrek aan bewustheid onder artsen op dit gebied te zien; ironisch genoeg is het vaak hun taak om mensen met voedingsproblemen te behandelen.
Als mensen moeten worden *genezen* in plaats van *behandeld*, moeten kruidengeneeskunde en voeding de hoeksteen van de therapie vormen. Op het ogenblik is farmacologie, de studie en het gebruik van synthetische medi-

cijnen, de enige vorm van therapie die op de universiteit aan medisch studenten wordt onderwezen. De medische wereld moet kiezen tussen geld en macht enerzijds en het welzijn van de mensheid anderzijds. Wanneer u weer eens geconfronteerd wordt met negatieve berichtgeving in de media over kruidengeneeskunde, bedenk dan dat zij voor de meeste mensen op aarde de belangrijkste vorm van geneeskunde is. Dit geldt vooral voor die mensen, die zich geen dure medicijnen kunnen permitteren.
De houding van het Nationaal Kankerinstituut in de VS is exemplarisch voor de opvatting van de heren doktoren omtrent kruidengeneeskunde. Dit kankerinstituut publiceert wetenschappelijke artikelen waaruit blijkt dat zo'n 60% van de gevallen waarin kanker bij mensen optreedt kan worden voorkomen door betere voeding en een minder stressvolle manier van leven. Dat is nogal wat voor een instituut dat de beschikking heeft over enorme sommen geld om een *geneesmiddel* te vinden voor de verschillende vormen van kanker. Hetzelfde instituut geeft echter niet meer dan zo'n 1% van zijn budget uit aan voedingsonderzoek. Des te wranger is het, dat het kankerinstituut enorme sommen geld uitgeeft aan het isoleren van chemische stoffen uit kruiden die in het stroomgebied van de Amazone in Zuid-Amerika groeien. Het gebruik van de kruiden zelf zou niet voldoende winst opleveren, en dat is waar het uiteindelijk om draait!
In hoofdstuk 8, blz. 91, toon ik aan dat fabrikanten van bewerkte voedingsmiddelen vooral geïnteresseerd zijn in het maken van winst, niet in uw gezondheid. Helaas blijkt hetzelfde gezegd te kunnen worden voor de hedendaagse geneeskunde en farmacie. Enorme sommen geld worden uitgegeven aan het isoleren van chemische stoffen uit kruiden waarvan bekend is dat zij kanker tegengaan. Deze chemische stoffen worden vervolgens in massaproductie genomen, verpakt en met enorme winsten verkocht. Het gebruik van de natuurlijke kruiden is veiliger en gezonder. Als het gebruik van het natuurlijke kruid wordt gecombineerd met voedingstherapie en verandering van levensstijl kan de patiënt actief meewerken aan zijn of haar eigen behandeling en ervoor zorgen dat er minder giftige stoffen worden gebruikt om zijn of haar lichaam te genezen. Zo is bijvoorbeeld de kans op genezing van kanker met het Gersondieet* groter dan met chemotherapie, chirurgie of bestraling.

Kruiden – deel van de natuurlijke energiecyclus

Alle leven op aarde is afhankelijk van de zon. De zon geeft ons warmte- en lichtenergie. Planten gebruiken deze lichtenergie om voedsel te maken in een verbazingwekkend proces, genaamd fotosynthese. Dit proces zet energie om in materie (voedsel). Fotosynthese is niet alleen van es-

* Het Gerson-dieet maakt gebruik van de sappen van biologisch-dynamisch geteelde vruchten en groenten om patiënten te helpen bij het overwinnen van kanker. Het heeft veel navolging gekregen, vooral in de VS.

sentieel belang voor ons voortbestaan, maar is ook een mooi voorbeeld van een van Albert Einsteins theorieën: dat energie en materie hetzelfde zijn, en dat het een kan worden omgezet in het andere.
Terwijl fotosynthese laat zien hoe energie kan worden omgezet in materie, is er een ander opmerkelijk proces dat materie (voedsel) weer kan omzetten in energie. Dit proces heet stofwisseling. Als we plantaardig voedsel eten, wordt dat afgebroken tot kleinere bestanddelen (verteerd) en uiteindelijk gebruikt bij de stofwisseling om voor energie voor het lichaam te zorgen. De alternatieve geneeskunde maakt zowel gebruik van materie (bijv. een kruid) als van energie (bijv. homeopathische geneesmiddelen) om mensen te genezen. Wetenschappers die het moeilijk vinden om te begrijpen hoe op energie gebaseerde geneeswijzen, zoals homeopathie en acupunctuur, werken, moeten hun biologie- en natuurkundeboeken nog maar eens bestuderen.

Afbeelding 8

Afbeelding 8 geeft de kern van de zaak weer: als u kruiden of planten gebruikt om te genezen, vormt u een onderdeel van een energieketen en daarmee van de gehele natuur. Deze energie is universeel (in dit geval afkomstig van de zon) en komt tot ons via de natuur. Door het kruid te gebruiken maakt u eigenlijk deel uit van iets veel groters – u bent verbonden met iets dat miljoenen kilometers van de aarde verwijderd plaatsvindt. Hierin schuilt de kracht van natuurlijke geneesmiddelen: zij werken op verschillende niveaus in de mens, niet alleen het lichamelijke.

Geneeskrachtige kruiden en synthetische medicijnen: een vergelijking
In 1874 werd natriumsalicylaat (synthetische aspirine) voor het eerst synthetisch in een laboratorium bereid. Dit leidde tot een toename in het gebruik van synthetische geneesmiddelen en een daling in het gebruik van kruiden. Men ging er toen vanuit dat al onze geneesmiddelen voortaan in laboratoria zouden kunnen worden gemaakt en dat de natuur overbodig zou worden, een veronderstelling die inmiddels is achterhaald. De ramp met thalidomide (het medicijn dat in Nederland werd verkocht onder de merknaam Softenon, *vert.*) in de jaren '50 was een belangrijke waarschuwing voor de gevaren van het gebruik van synthetisch bereide geneesmiddelen. In de jaren '80 kostte Opren, een ontstekingremmend medicijn dat gebruikt werd om artritis te behandelen, het leven van een aantal patiënten die aan deze ziekte leden. In juni 1986

moesten alle aspirine-houdende medicijnen voor kinderen uit de handel worden genomen, omdat een aantal kinderen was overleden aan lever- en hersenbeschadiging. Deze ernstige bijwerkingen hebben de argumenten vóór het gebruik van synthetische medicijnen aanmerkelijk verzwakt. Vandaag de dag hebben de meeste mensen terecht hun bedenkingen tegen het gebruik van conventionele geneesmiddelen.
Chemische analyses en laboratoriumonderzoeken hebben echter ook hun goede kanten. De kennis die we dankzij de wetenschap verwerven kan zelfs van grote waarde zijn. Zo heeft wetenschappelijk onderzoek bijvoorbeeld de juistheid aangetoond van hetgeen genezers in de oudheid al beweerden over bepaalde planten. De sjamanen (medicijnmannen) van de Noord-Amerikaanse indianen gebruikten planten als *Echinacea purpurea* en *Baptisia tinctoria* om infecties te behandelen. Wetenschappelijk onderzoekers hebben bepaalde chemische stoffen (genaamd glycoproteïnen en polysachariden) uit deze kruiden geïsoleerd en ontdekten dat zij het immuunsysteem stimuleren en binnendringende bacteriën beschadigen. Met andere woorden, moderne technieken hebben bevestigd wat 'primitieve' genezers al lange tijd wisten: dat deze kruiden effectief zijn bij de behandeling van infecties. Deze twee kruiden worden verderop in dit hoofdstuk behandeld.
Wetenschappers hebben ook een kruid, genaamd moerasspirea (*Filipendula ulmaria*), geanalyseerd en ontdekt dat het een natuurlijke aspirine bevat; het kan daarom worden gebruikt als pijnstillend middel. Uit deze analyse is ook gebleken dat moerasspirea tannine en gom bevat. Deze twee stoffen beschermen de maagwand, waardoor moerasspirea niet de bijwerkingen veroorzaakt die optreden wanneer synthetische aspirine wordt gebruikt. Geneesmiddelen, gebaseerd op chemische stoffen, kunnen qua volmaaktheid en vernuft niet tippen aan natuurlijke geneesmiddelen. Daniel Mowrey's uitstekende boek *The Scientific Validation of Herbal Medicine* moet zelfs de meest sceptische lezer overtuigen van de waarde van kruidengeneeskunde.
Tabel 4 op de volgende bladzijde geeft een vergelijking van de conventionele en de kruidengeneeskunde.

Kruidengeneeskunde en intuïtie

Als een hond vlees heeft gegeten dat bedorven is, eet hij wat kweekgras (*Agropyron repens*) om te braken. Hij weet instinctief welke plant hij moet eten om zichzelf te behandelen. Ook primitieve volken weten welke planten zij moeten gebruiken om verschillende aandoeningen te genezen. Onze voorouders beschikten over een vergelijkbare rijkdom aan kennis die van generatie op generatie werd doorgegeven. Deze intuïtieve kennis moet worden gerespecteerd. De wetenschap heeft geprobeerd het belang ervan te minimaliseren en intuïtie te vervangen door analyse. We

Tabel 4: Conventionele medicijnen versus geneeskrachtige kruiden

Conventionele medicijnen	*Geneeskrachtige kruiden*
Gebaseerd op geïsoleerde chemische stoffen	Gebaseerd op de hele plant
Tegenwoordig vaak synthetisch bereid	Zijn allemaal natuurlijk
Maken geen deel uit van de natuurlijke energiecyclus en vertonen dus een tekort aan energie	Zijn allemaal rijk aan energie omdat zij gebruik maken van de energie van de zon
Maken gebruik van onnatuurlijk hoge concentraties van een chemische stof, wat een natuurlijk systeem zoals het lichaam kan verstoren en bijwerkingen kan veroorzaken	Maken gebruik van natuurlijke concentraties en zijn dus veel veiliger voor het lichaam
Werken nogal abrupt, omdat zij snel in de bloedbaan terechtkomen	Werken meer geleidelijk
Verminderen de vitaliteit van het lichaam en vergen extra kracht om uit het lichaam te worden verwijderd	Bevatten mineralen en vitaminen en verhogen daarmee de vitaliteit van het lichaam

weten instinctief wat ons lichaam nodig heeft om gezond te blijven. Het wordt ons echter niet gemakkelijk gemaakt hierop te vertrouwen. Als kind is ons dat afgeleerd, dus valt dit ons als volwassene erg moeilijk.
Natuurlijke geneeskunde is meer een kunst dan een wetenschap. Artsen, therapeuten en genezers moeten een goed ontwikkelde intuïtie hebben om op dit terrein te werken. Het omgekeerde geldt voor de conventionele geneeskunde, die het aan zichzelf te wijten heeft dat zij al te wetenschappelijk is geworden. Een samengaan van de twee kan resulteren in een harmonie tussen kunst en wetenschap, tussen intuïtief vermogen en wetenschappelijke kennis.
Laten we enkele kruiden die eeuwenlang zijn gebruikt om infectieziekten te behandelen eens nader onder de loep nemen. Ik begin met een van de bekendste kruiden van allemaal, Echinacea.

Echinacea purpurea – het immuniteitsversterkende kruid

Echinacea staat bekend om zijn vermogen om infecties te bestrijden en het immuunsysteem te stimuleren. Het is een van de meest voorgeschreven kruiden ter wereld en is vooral populair in de VS en Duitsland maar ook in Nederland. In andere delen van Europa is het minder bekend. Dit komt waarschijnlijk doordat Echinacea zijn oorsprong vindt in Noord-Amerika, waar het eeuwenlang door de indianen werd gebruikt bij de behandeling van infecties, huidwonden en slangenbeten. Een Duitse arts, dr. Meyer, leerde erover van de Pawnee-stam en maakte een geneesmiddel, genaamd *Meyers bloedzuiveraar*. Rond de eeuwwisseling gebruikten veel artsen Echinacea, en in 1907 was dit het populairste kruid in de medische praktijk geworden. Dankzij dr. Meyer werd het kruid populair in Duitsland, en vandaag de dag bevatten meer dan 250 geneeskundige producten in Duitsland Echinacea.

Hoe werkt Echinacea?

Echinacea activeert de witte bloedlichaampjes die helpen om infecties in het lichaam te bestrijden. Recent onderzoek heeft aangetoond dat Echinacea vooral de activiteit van de macrofagen, een bijzonder soort witte bloedlichaampjes, stimuleert. In december 1984 meldde het medische tijdschrift *Infection and Immunity* dat een van de werkzame bestanddelen van Echinacea de dodelijke werking van macrofagen op tumorcellen aantoonbaar versterkt.

Waar wordt Echinacea voor gebruikt?

Omdat Echinacea het afweersysteem van het lichaam ondersteunt, kan het worden gebruikt bij het bestrijden van infecties die worden veroorzaakt door virussen, bacteriën of schimmels. Echinacea wordt ook gebruikt voor de behandeling van huidwonden en eczeem.

Hoe kunt u Echinacea het beste gebruiken?

Echinacea kan het beste worden ingenomen in de vorm van een vloeibaar extract (tinctuur). In vloeibare vorm wordt het gemakkelijker in het bloed opgenomen en is het bovendien langer houdbaar. Met Echinacea in vloeibare vorm (alcoholisch extract) bereik ik veel betere resultaten dan met Echinacea in droge vorm (capsule of tablet).

Van groot belang bij ieder kruid zijn de kwaliteit en de versheid ervan. Ik gebruik over het algemeen de wortel van de plant *Echinacea purpurea*. In sommige gevallen combineer ik het met *Echinacea angustifolia*, omdat er aanwijzingen zijn dat die twee bij de behandeling van bepaalde aandoeningen het beste gelijktijdig kunnen worden gebruikt. Echinacea in capsule- of tabletvorm wordt voornamelijk gebruikt door patiënten die de smaak van het vloeibare extract niet verdragen, maar dat komt zelden voor.

Af en toe gebruik ik alleen Echinacea, maar meestal combineer ik het met andere kruiden. Bij de behandeling van voorhoofdsholte-ontsteking combineer ik het bijvoorbeeld met heemst. Voor sommige infecties

Tabel 5: Toepassingen van Echinacea

Infecties	*Wonden*	*Overige*
verkoudheid en griep	brandwonden	allergieën
voorhoofdsholte-ontsteking	huidzweren	eczeem
keelpijn	beten en steken	laag aantal witte bloedlichaampjes
oorontstekingen		
door stafylokokken veroorzaakte infecties		
infecties in de urinewegen		

in de luchtwegen kan Echinacea het beste worden gecombineerd met wilde indigo. Voor het versterken van het immuunsysteem combineer ik het met Astralagus, wilde indigo en mirre en voor lymfdrainage combineer ik het met kleefkruid of karmozijnbes.

IS ECHINACEA VEILIG?
Echinacea wordt beschouwd als een van de veiligste kruiden. Vele onderzoeken hebben aangetoond dat het niet giftig is, en de afgelopen vijf jaar heb ikzelf geen enkele bijwerking waargenomen.

SAMENVATTING
Echinacea is een van de belangrijkste natuurlijke geneesmiddelen, zowel voor het behandelen van acute als telkens terugkerende infecties. Het is werkzaam tegen een groot aantal verschillende microben, waaronder veel virussen, bacteriën en schimmels. Het kan inwendig worden gebruikt om infecties overal in het lichaam te behandelen en kan als smeersel of zalf ook worden gebruikt voor uitwendige aandoeningen.
Echinacea wordt beschouwd als het kruid dat zelfs de meest sceptische arts kan overtuigen en heeft als zodanig veel conventionele artsen bekeerd tot de natuurlijke geneeskunde.

Wilde indigo *(Baptisia tinctoria)*
Ook deze Noord-Amerikaanse plant werd eeuwenlang door de inheemse bevolking gebruikt. De Creek-indianen gaven bijvoorbeeld een extract van de wortel aan kinderen die tekenen van een infectie vertoonden, om hen te helpen deze te bestrijden. Wilde indigo werd ook gebruikt door andere stammen, voornamelijk bij infecties maar ook om wonden en kneuzingen te behandelen.
Wilde indigo is in Europa als geneeskrachtig kruid vrijwel onbekend, hoewel het in de Duitse homeopathische geneeskunde al sinds het midden van de negentiende eeuw wordt gebruikt. Net zoals bij *Echinacea purpurea* bevinden de werkzame bestanddelen van wilde indigo zich in

de wortel. De chemische stoffen die het immuunsysteem stimuleren bestaan uit glycoproteïnen en, in mindere mate, polysachariden, waarvan de chemische structuren door middel van wetenschappelijk onderzoek zijn vastgesteld.

Hoe werkt wilde indigo?

Wilde indigo heeft een antibiotische werking op een groot aantal verschillende microben, waaronder veel bacteriën en schimmels. Het heeft een dodelijke werking op de microbe en weet de vermenigvuldiging ervan in het lichaam te weerhouden. Het versterkt ook het immuunsysteem, en sommige chemische stoffen in wilde indigo hebben een sterk remmende werking op ontstekingen van het slijmvlies. Het is interessant dat veel van de anti-infectieuze kruiden tegelijkertijd het immuunsysteem stimuleren. Dat is het mooie van het gebruik van natuurlijke geneesmiddelen.
Wanneer wilde indigo oraal wordt toegediend, als tinctuur of alcoholisch extract, kan het aantal witte bloedlichaampjes die de infectie bestrijden binnen twee tot drie uur na het innemen van het middel met 30% toenemen. Dit is gebleken uit onderzoeken, die overigens hebben aangetoond dat het gebruik van een homeopathisch preparaat van het kruid vergelijkbare resultaten oplevert.
Recent onderzoek naar glycoproteïnen in wilde indigo lijkt erop te wijzen dat het vooral de lymfocyten (een bijzonder soort witte bloedlichaampjes) zijn, die door het plantenextract worden geactiveerd.

Waar wordt wilde indigo voor gebruikt?

Door zijn antibiotische eigenschappen en remmende werking op ontstekingen van het slijmvlies is wilde indigo bij uitstek geschikt voor de behandeling van infecties in de luchtwegen. Het is effectief bij de behandeling van acute en chronische ontstekingen van de holten (voorhoofdsholte-ontsteking), het neusslijmvlies (neusverkoudheid), de keelwand (amandelontsteking, keelontsteking) en de onderste luchtwegen (strottenhoofdontsteking, luchtpijpontsteking en bronchitis).
Ik heb er vooral goede resultaten mee behaald bij de behandeling van infecties die gepaard gaan met de productie van grote hoeveelheden slijm in neus, keel en holten (bovenste luchtwegen). Daarnaast gebruik ik het ook als spoeldrank om mondzweren te genezen en tandvleesontsteking te behandelen.
Evenals Echinacea kan wilde indigo ook worden gebruikt voor uitwendige aandoeningen. Het kan als smeersel of zalf worden aangebracht op huidinfecties, wonden en pijnlijke tepels bij moeders die borstvoeding geven.

Tabel 6: Toepassingen van wilde indigo

Infecties in de luchtwegen
- voorhoofdsholte-ontsteking
- amandelontsteking
- neusverkoudheid
- bronchitis

Huidinfecties
- wonden
- geïnfecteerd eczeem
- pijnlijke tepels

Mondspoeling voor mondinfecties

Immuniteitsversterkend middel

HOE KUNT U WILDE INDIGO HET BESTE GEBRUIKEN?

Voor een optimale werking kan wilde indigo, net zoals Echinacea, het beste worden ingenomen in de vorm van een tinctuur of vloeibaar extract. Het kan echter ook worden ingenomen in capsule-, tablet- of poedervorm. De wortels van het kruid worden gewoonlijk in de herfst uitgegraven, schoongemaakt, gedroogd en vervolgens fijngestampt tot een poeder. Het wordt in deze vorm ook gebruikt om een vloeibaar extract te maken dat oraal kan worden toegediend.
De versheid van het kruid is van groot belang. Een vloeibaar extract is veel langer houdbaar, zo'n een à twee jaar, dan capsules en tabletten. Controleer altijd de uiterste gebruiksdatum.
Voor het behandelen van infecties combineer ik wilde indigo vaak met Echinacea of mirre.

IS WILDE INDIGO VEILIG?

Evenals Echinacea staat wilde indigo te boek als zeer veilig. Het kan, in de juiste dosering, met een gerust hart worden gebruikt voor de hiervoor genoemde infecties bij zowel volwassenen als kinderen, zelfs zeer jonge kinderen. Buitensporig hoge doses moeten echter worden vermeden.

SAMENVATTING

Wilde indigo heeft antibiotische eigenschappen, stimuleert het immuunsysteem en heeft een remmende werking op ontstekingen van het slijmvlies. Het wordt gebruikt om catarrale infecties in de luchtwegen en huid- en mondinfecties te behandelen. Wilde indigo kan het beste worden ingenomen in de vorm van een vloeibaar extract. Het is zowel voor volwassenen als voor kinderen zeer veilig in het gebruik, maar zeer hoge doses moeten worden vermeden.

Usnea barbata – het plantaardige antibioticum

Usnea barbata is een korstmos dat groeit op bomen in de bossen en boomgaarden van Noord-Europa. Het wordt ook wel lariksmos of, omdat het in lange, grijze strengen vanaf de takken van bomen als den, eik, spar en appelboom omlaaghangt, 'oudemannenbaard' genoemd. Korstmossen zijn eigenlijk geen planten. Ze bestaan uit twee plantaardige organismen, een schimmel en een alg, die in symbiose leven. De twee zijn zo verstrengeld dat zij eruitzien als één organisme. Sommige korstmossen zijn lichtgeel of rood en worden gebruikt om de kleurstof voor Schotse en Ierse tweed-kleding te maken.

Hoe werkt Usnea?

Usnea barbata is een zeer effectief antibioticum en verdient de benaming 'het plantaardige antibioticum' ten volle. Het produceert een stof, genaamd usnisch zuur, waarvan bewezen is dat het tegen bepaalde bacteriën effectiever is dan penicilline. Usnisch zuur werkt net zoals penicilline, in die zin dat het bacteriële en schimmelcellen beschadigt en vernietigt. We kunnen dus stellen dat Usnea penicilline-achtig werkt.

Waar wordt Usnea voor gebruikt?

Onderzoek heeft aangetoond dat Usnea het meest effectief is tegen de bacteriën *Staphylococcus spp., Streptococcus spp.* en *Mycobacterium tuberculosis* (de bacterie die tbc veroorzaakt). In sommige gevallen is het effectiever dan penicilline. Bij de behandeling van door *trichomonas* veroorzaakte infecties in de vagina en baarmoederhals worden met Usnea vaak betere resultaten bereikt dan met conventionele medicijnen, zoals metronidazol (Flagyl).
Door zijn zeer sterke antibiotische werking is Usnea bij uitstek geschikt voor de behandeling van infecties die worden veroorzaakt door bacteriën en schimmels, zoals bacteriële ontstekingen van voorhoofdsholte, amandelen en longen, en van bacteriële huidinfecties, zoals door stafylokokken veroorzaakte steenpuisten en abcessen, ringworm en voetschimmel. Het is dan ook niet verwonderlijk dat veel van de schimmeldodende crèmes die tegenwoordig op de markt zijn Usnea bevatten.
Usnea is *niet* effectief bij de behandeling van urineweginfecties, omdat deze worden veroorzaakt door een andere soort bacterie, meestal *E. coli.*

Hoe kunt u Usnea het beste gebruiken?

Usnea kan het beste worden ingenomen in de vorm van een tinctuur. Neem bij acute bacteriële infecties twee à driemaal daags een theelepel van de tinctuur (tien druppels) met wat water in. Een theelepel Usnea in wat water kan worden gebruikt als gorgeldrank bij keelpijn, vooral wanneer deze door streptokokken wordt veroorzaakt. Bij een voorhoofdsholte-ontsteking kan verscheidene keren per dag een theelepel Usnea vermengd met wat water worden ingedruppeld in de neusgangen. Een theelepel Usnea vermengd met water kan ook worden gebruikt als spoeling voor de behandeling van vaginale infecties.

Is Usnea veilig?

Ja, maar het kan het beste onder medisch toezicht worden gebruikt, omdat het bij sommige mensen maag- en darmklachten kan veroorzaken. Vandaar dat het soms beter is met een lagere dosis te beginnen en deze gedurende een paar dagen geleidelijk te verhogen tot de aanbevolen dosis.
Omdat Usnea moeilijk in water oplost, is een alcoholisch extract het beste. Leng het voor gebruik aan, omdat het de maag kan irriteren als het onverdund wordt ingeslikt.
In zeer hoge doses kan Usnea giftig zijn. Wanneer u het inneemt in de vorm van een alcoholisch extract hoeft u zich geen zorgen te maken, omdat het dan zeer langzaam in het bloed wordt opgenomen. Ik raad u aan het alleen te gebruiken onder medisch toezicht.

SAMENVATTING

Usnea barbata is een korstmos en groeit op bomen. Het wordt ook wel 'oudemannenbaard' of lariksmos genoemd. Het belangrijkste bestanddeel ervan is usnisch zuur, een zeer effectief antibioticum. Het wordt gebruikt bij de behandeling van bepaalde bacteriële infecties, schimmelinfecties en vaginale infecties. Usnea is veilig, maar dient bij voorkeur onder medisch toezicht te worden gebruikt.
Usnea is in sommige gevallen effectiever dan antibiotica als penicilline.

Mirre *(Commiphora molmol)*

Mirre komt uit een heel ander deel van de wereld: het 'land van goud, wierook en mirre'. Deze plant groeit als struik in de dorre gebieden van Arabië, het Midden-Oosten en Noordoost-Afrika. De mensen uit dit gebied hebben de gomhars van deze plant eeuwenlang verzameld en gebruikt om een groot aantal infecties te behandelen. De gom wordt vaak aangeduid als 'gugal-gom', en de plant wordt soms 'guggulu' genoemd. De Arabieren gebruikten mirre bij maagklachten en bij infecties in de luchtwegen: een droog klimaat is zeer belastend voor het ademhalingsstelsel!

Hoe werkt mirre?

Aangetoond is, dat extracten van de plant de fagocytose (dodelijke werking) in witte bloedlichaampjes versterken. Daarom helpt mirre uw lichaam bij het bestrijden van een groot aantal infecties die worden veroorzaakt door virussen, bacteriën of schimmels. Recent onderzoek heeft aangetoond dat mirre, evenals Echinacea, een directe antimicrobiële werking heeft.

WAAR WORDT MIRRE VOOR GEBRUIKT?
Van de tot dusver besproken kruiden is mirre het krachtigste middel tegen huidinfecties.

Tabel 7: Toepassingen van mirre

Infecties in de bovenste luchtwegen
voorhoofdsholte-ontsteking

Infecties in de onderste luchtwegen
bronchitis

Door streptokokken veroorzaakte infecties
keelpijn

Door stafylokokken veroorzaakte infecties
steenpuisten
abcessen

Virale infecties
griep
verkoudheid
koortsuitslag

HOE KUNT U MIRRE HET BESTE GEBRUIKEN?
Omdat de hars niet goed in water oplost, kan mirre het beste worden ingenomen in de vorm van een alcoholisch extract (tinctuur). De aanbevolen dosis is driemaal daags 2-4 ml van deze tinctuur. Het kan het beste worden gebruikt in combinatie met andere kruiden. Mirre wordt voor infecties in de luchtwegen vaak gecombineerd met wilde indigo en voor andere infecties met Echinacea.

IS MIRRE VEILIG?
Mirre is zeer veilig. Giftige bijwerkingen zijn niet bekend.

SAMENVATTING
Mirre komt oorspronkelijk uit Arabië en Noordoost-Afrika. Het heeft een directe antimicrobiële werking en versterkt het dodelijk effect van witte bloedlichaampjes. De Arabieren gebruikten mirre voornamelijk voor infecties in de luchtwegen, maar het kan ook worden gebruikt voor een groot aantal andere infecties. Omdat de gomhars slecht in water oplost, kan mirre het beste worden ingenomen in de vorm van een alcoholisch extract. Combineer het met wilde indigo voor infecties in de luchtwegen en met Echinacea voor andere infecties.

Andere geneeskrachtige kruiden

Tot nu toe heb ik vier kruiden besproken die vaak worden gebruikt om infecties te behandelen. Er zijn talloze andere kruiden, die minder vaak worden gebruikt, zoals salie, tijm, goudsbloem, alsem en knoflook. Een ander kruid dat ik apart zal bespreken is Thuja, dat bekend staat om zijn antivirale eigenschappen.

SALIE *(SALVIA OFFICINALIS)* EN TIJM *(THYMUS VULGARIS)*

Zowel salie als tijm hebben een sterk antiseptische (ontsmettende) werking en kunnen worden gebruikt als effectieve gorgeldrank bij keelpijn en door bacteriën (streptokokken) veroorzaakte amandelontsteking. Zij kunnen inwendig worden gebruikt om infecties in de onderste en bovenste luchtwegen te behandelen en uitwendig voor de behandeling van huidinfecties.

Salie is een uitstekend middel tegen ontstekingachtige aandoeningen in mond en keel en kan worden gebruikt als mondspoeling bij ontstekingen van het tandvlees of het mondslijmvlies. Salie is een uitstekend middel tegen mondzweren (aften).

Tijm is een uitstekend hoestmiddel. Als de hoest gepaard gaat met de productie van slijm (een vochtige hoest), helpt dit kruid het slijm uit het lichaam te verwijderen. Op een droge kriebelhoest heeft het een verzachtend effect. De antiseptische eigenschappen van tijm maken het kruid zeer geschikt voor de behandeling van infecties.

GOUDSBLOEM *(CALENDULA OFFICINALIS)*

Goudsbloem bevat een werkzame stof die schimmels doodt en kan zowel inwendig als uitwendig worden gebruikt bij schimmelinfecties. Goudsbloem is ook een beproefd kruid bij huidproblemen, zoals ontstekingachtige huidaandoeningen, huidinfecties, langzaam helende wonden en huidzweren.

KNOFLOOK *(ALLIUM SATIVUM)*

Knoflook staat bekend om zijn antibiotische eigenschappen. De oude Egyptenaren gebruikten knoflook om wormaandoeningen en infecties te behandelen, de Grieken en Romeinen gebruikten het voor de behandeling van tumoren, wonden en zich uitbreidende infecties, en de Chinezen gebruikten het voor de behandeling van algehele zwakte, vermoeidheid, infecties en tumoren. In 1858 toonde Louis Pasteur de antibacteriële werking van knoflook aan. In beide wereldoorlogen redde knoflook het leven van vele duizenden soldaten doordat hiermee voorkomen werd dat wonden geïnfecteerd raakten. Wanneer geen ander ontsmettingsmiddel voorhanden was, werden oppervlakkige wonden met fijngestampte knoflook besmeerd en vervolgens verbonden.

Recent onderzoek heeft aangetoond dat knoflooksap meer dan zestig soorten schimmels en meer dan twintig soorten bacteriën, waaronder een aantal zeer gevaarlijke, in hun groei kan remmen of kan doden. Knoflook mag zich momenteel ook verheugen in de aandacht van de medische wetenschap vanwege zijn vermogen om het cholesterolgehalte van het bloed te verlagen en vanwege de stoffen die het bevat waarvan bekend is dat zij kanker tegengaan.
De werkzame stof die verantwoordelijk is voor de antibiotische en antimicrobiële eigenschappen van knoflook bevindt zich in de olie. Deze olie bevat een zwavelverbinding, genaamd allicine, die bacteriën en schimmels doodt. Als knoflook wordt genuttigd komt de olie in het spijsverteringskanaal terecht en wordt in het bloed opgenomen. Het wordt uitgescheiden via de longen, vandaar de sterke zwavelachtige geur van de adem. Daarom is knoflook vooral geschikt voor de behandeling van infecties in het spijsverteringskanaal en de luchtwegen.

ALSEM *(ARTEMISIA ABSINTHUM)*
Alsem is een probaat middel tegen wormaandoeningen, vooral spoelwormen. Omdat het erg bitter smaakt, kan het het beste worden ingenomen in tabletvorm.

SAMENVATTING
Er zijn een aantal planten die zeer sterke antibiotische en immuniteitsversterkende eigenschappen hebben. Deze kruiden vormen de basis van alle natuurlijke antibiotica. Het is opmerkelijk dat veel van de nuttige chemische stoffen in deze planten voor de plant zelf van weinig nut zijn. Veel van deze chemische stoffen worden door de planten geproduceerd om de rest van de natuur te helpen. Men kan niet anders dan ontzag hebben voor de schoonheid en wijsheid van moeder natuur!

Thuja occidentalis
Dit kruid is ook bekend als levensboom (*Arbor vitae*). Het is een houtachtig gewas, dat van nature voorkomt in het noordoosten van Noord-Amerika, en behoort tot de familie van de cipressen. Thuja wordt in Europa als tuinplant gekweekt en vooral als heg gebruikt, dus misschien kent u hem wel.
Thuja werd in de zestiende eeuw in Europa geïmporteerd en werd later een bekend homeopathisch preparaat. In zijn land van herkomst werd Thuja voornamelijk gebruikt als kruidenpreparaat. Bij orale toediening van hoge doses en orale toediening van lage doses kan Thuja ernstige bijwerkingen veroorzaken. Wanneer Thuja op de huid wordt aangebracht of wanneer het als homeopathisch preparaat wordt gebruikt treden deze niet op. Vandaar dat Thuja als homeopathisch preparaat wèl, maar als kruiden-

extract *niet* veilig in het gebruik is. Kruidenextracten van Thuja zijn alleen veilig bij uitwendig gebruik op huidwonden.
De positieve effecten van Thuja, plaatselijk aangebracht op huidaandoeningen, huidwratten en genitale wratten, zijn in veel artikelen beschreven. Al in 1838 maakte een zekere dr. Warnatz melding van een patiënt met buitengewoon hardnekkige wratten (d.w.z. niet reagerend op behandeling) op penis en scrotum, die met Thuja genazen.
Sindsdien hebben veel onderzoekers goede resultaten gemeld. Het meeste onderzoek naar Thuja is gericht op de behandeling van huidwratten en het gebruik van Thuja als uitwendig geneesmiddel. In 1949 beschreef Halter de behandeling van wratten door middel van inwendig gebruik van Thuja, zonder het aanbrengen van enig uitwendig geneesmiddel. Tegenwoordig wordt aangenomen dat Thuja een remmende werking heeft op virussen. Het kan daarom inwendig worden gebruikt bij de behandeling van een groot aantal virale infecties in de luchtwegen, het spijsverteringskanaal en in het bijzonder de huid.

Hoe werkt Thuja?

Het onderzoek van Thuja was vooral gericht op de antivirale werking ervan. Het onomstotelijk bewijs van zijn sterke antivirale eigenschappen werd in 1971 geleverd door Khurana, die de effecten van dit kruid op een groot aantal verschillende virussen onderzocht. Anderen hebben deze antivirale werking bevestigd, hoewel de werkzame chemische stoffen nog niet zijn geïdentificeerd. Volgens sommige onderzoekers heeft Thuja ook antibacteriële eigenschappen, waardoor het dus ook geschikt zou kunnen zijn voor de behandeling van geïnfecteerde oppervlakkige wonden en brandwonden.
Ondanks eeuwenlang gebruik in volksgeneeskunde en homeopathie is er, vergeleken met kruiden als Echinacea, naar Thuja weinig wetenschappelijk onderzoek verricht.

Waar wordt Thuja voor gebruikt?

Thuja wordt voornamelijk gebruikt voor virale infecties. Bij verkoudheid, griep en door virussen veroorzaakte keelpijn, strottenhoofdontsteking of bronchitis kan het inwendig worden gebruikt als homeopathisch preparaat.
Bij virale huidinfecties, zoals huidwratten en genitale wratten, kan het rechtstreeks op de wrat worden aangebracht. Als het rechtstreeks op de huid wordt aangebracht, kan het worden gebruikt in de vorm van een kruidenextract. Thuja bevat ook een werkzame stof die schimmels doodt, wat het geschikt maakt voor de behandeling van uitwendige schimmelinfecties, zoals ringworm.
Een ander effect waarvan in de wetenschappelijke literatuur regelmatig

melding wordt gemaakt is het vermogen van Thuja om de tropische ziekte bilharzia te voorkomen. Deze ziekte wordt veroorzaakt door een worm, waarvan de in het water levende larven de menselijke huid kunnen binnendringen. Aangebracht op de huid kan Thuja voorkomen dat de larve de huid binnendringt.
Van Thuja is ook gerapporteerd dat het ziekteverschijnselen als gevolg van pokkenvaccinatie tegengaat.

HOE KUNT U THUJA HET BESTE GEBRUIKEN?
Bij inwendig gebruik van Thuja kan het beste worden gekozen voor homeopathische druppels, bij uitwendig gebruik verdient een vloeibaar kruidenextract de voorkeur. Thuja kan ook in de vorm van een kruidenextract worden ingenomen om virale infecties in de luchtwegen te behandelen, maar dit mag alleen gebeuren *onder medisch toezicht*.

IS THUJA VEILIG?
Thuja kan het beste worden voorgeschreven door een arts, vooral wanneer het oraal wordt toegediend. Uit onderzoek is gebleken dat er geen bijwerkingen optreden wanneer er bij de bereiding van het kruid gebruik wordt gemaakt van een extract van koud water en alcohol, wat de orale toediening veel veiliger maakt.

SAMENVATTING
Thuja werd eeuwenlang gebruikt in de Amerikaanse volksgeneeskunde en wordt in Europa sinds het begin van de negentiende eeuw als homeopathisch preparaat gebruikt. Thuja staat vooral bekend om zijn vermogen om virale infecties te bestrijden. Vandaar dat het wordt gebruikt bij bronchitis, strottenhoofdontsteking en keelpijn van virale aard. Het kan uitwendig worden gebruikt om huidwratten, genitale wratten en schimmelinfecties, zoals ringworm, te behandelen.
Het is veilig in het gebruik in de vorm van homeopathische druppels, maar *vereist medisch toezicht* wanneer het wordt ingenomen in de vorm van een kruidenextract.

Esberitox – een veelbelovende nieuwe plantaardige immuniteitsversterker

Esberitox is een betrekkelijk nieuw plantaardig geneesmiddel, dat extracten van Echinacea, wilde indigo en Thuja bevat. Het is, in de vorm van druppels en tabletten, tegenwoordig ook in Europa verkrijgbaar.
Toen ik voor het eerst over dit middel hoorde was ik opgetogen, omdat er blijkbaar ergens iemand was die er een zelfde gedachtengang op na hield als ik. In de afgelopen vijf jaar heb ik bij mijn patiënten een toenemende behoefte aan Echinacea en wilde indigo waargenomen, dus is het goed

dat er een product in de handel is dat de immuniteitsversterkende eigenschappen van deze kruiden combineert met een derde kruid, Thuja, dat bekend staat om zijn antivirale eigenschappen.

WAARUIT BESTAAT ESBERITOX?
Esberitox bevat extracten van drie verschillende kruiden: Echinacea, wilde indigo en Thuja. Al deze kruiden stimuleren het immuunsysteem.

HOE WERKT ESBERITOX?
De werkzame chemische stoffen in Esberitox (glycoproteïnen en polysachariden) hechten zich aan het oppervlak van bepaalde witte bloedlichaampjes (macrofagen) en activeren op die manier het immuunsysteem, beschermen het lichaam tegen infecties en verkorten de duur van een bestaande infectie. De fabrikanten van Esberitox adviseren het middel te gebruiken in combinatie met een antibioticum, vooral bij ernstige bacteriële infecties. Ik onderken dat dit in bepaalde gevallen zinvol kan zijn, maar ik ben van mening dat het gebruik van Esberitox alléén in de regel moet kunnen volstaan omdat, zoals ik al eerder stelde, de meeste infecties, en vooral infecties in de luchtwegen bij kinderen, worden veroorzaakt door virussen.

WAAR WORDT ESBERITOX VOOR GEBRUIKT?
Esberitox kan worden gebruikt voor een groot aantal aandoeningen, vermeld in de nu volgende tabel.

Tabel 8: Toepassingen van Esberitox

Acute en chronische infecties in de luchtwegen

Ernstige bacteriële infecties (in combinatie met een antibioticum)
door streptokokken veroorzaakte keelpijn
otitis media (middenoorontsteking)

Bacteriële huidinfecties
steenpuisten
abcessen
impetigo (etterige huidontsteking)

Om de vatbaarheid voor infecties (als gevolg van verlaagde weerstand) *te verminderen*

Om het aantal witte bloedlichaampjes te verhogen, volgend op een behandeling van kanker (met bestralingsherapie en/of chemotherapie)

KUNNEN ER BIJWERKINGEN OPTREDEN?
Er zijn geen bijwerkingen bekend bij orale toediening van Esberitox. Als het intraveneus moet worden toegediend, wat zelden het geval is, kan in sommige gevallen een kortstondige reactie optreden. Dit wordt in de natuurlijke geneeskunde beschouwd als een gewenste of positieve reactie en niet als een bijwerking in de gebruikelijke betekenis van het woord, waarmee een negatief of gevaarlijk effect wordt bedoeld. Omdat Esberitox echter Thuja bevat, dat contracties van de baarmoederwand kan veroorzaken, kan dit product beter niet tijdens de zwangerschap worden gebruikt.

SAMENVATTING
Esberitox kan een belangrijke rol spelen bij de behandeling van bacteriële en virale infecties. Het stimuleert niet alleen het immuunsysteem, maar heeft ook antivirale en antibacteriële eigenschappen. Het is van groot nut voor kankerpatiënten die chemotherapie of bestralingstherapie hebben ondergaan en bij het behandelen van patiënten met een verlaagde weerstand.

PRAKTIJKVOORBEELD 6 – **Jennifer: ziekte van Pfeiffer**
De huisarts van de dertienjarige Jennifer had geconstateerd dat ze leed aan de ziekte van Pfeiffer. Deze virusziekte wordt gekenmerkt door koorts en, in het beginstadium, door gezwollen, pijnlijke lymfklieren. Ook lever en milt kunnen vergroot zijn. De ziekte van Pfeiffer is een ernstige aandoening, en het kan maanden duren voordat de patiënt er volledig van is hersteld. In een later stadium kan chronische vermoeidheid optreden. Onderzoek van Jennifers bloed toonde aan dat het virus nog steeds actief was in haar lichaam.
Ik schreef Jennifer meteen een immuniteitsversterkend middel en hoge doses vitamine C voor (de behoefte van het lichaam aan vitamine C is tijdens een infectie aanzienlijk verhoogd). Dit had een duidelijke verbetering in de toestand van het meisje tot gevolg, en ze kon weer naar school. Binnen zes weken waren haar bloedwaarden weer normaal, maar ze klaagde nog over pijn in de rechterbovenbuik. Toen ik haar onderzocht bleek haar lever nog steeds gezwollen en pijnlijk te zijn. Ik gaf haar melkdistel (*Silybum marianum*), een uitstekend kruid om de leverfunctie te ondersteunen. Twee maanden later was Jennifer volledig hersteld.

Immunol – een krachtige immuniteitsversterker
Immunol is een ander interessant product dat ik sinds kort gebruik. Het verschilt van Esberitox in die zin dat het een sterker effect heeft op het immuunsysteem. Ik vind het vooral zo interessant, omdat de kruiden die in dit product zijn verwerkt biologisch-dynamisch worden geteeld en ‘met energie verrijkt’ zijn. De fabrikanten van dit product weten niet alleen veel van de natuurlijke bestanddelen van kruiden, maar zij hebben ook verstand van de energetische eigenschappen van planten. Zo worden

de in Immunol gebruikte planten bijvoorbeeld op een bepaalde dag van de maand geoogst, waarna de extracten om ze met energie te verrijken twee weken lang worden blootgesteld aan de rijzende ochtendzon en aan de ondergaande avondzon. Veel fabrikanten van geneeskrachtige kruiden en homeopathische geneesmiddelen weten dat deze twee tijdstippen van de dag een hoog energieniveau hebben, maar weinigen passen deze kennis bij de productie van geneesmiddelen ook toe. Het is hartverwarmend om te zien dat deze bewustheid eindelijk wordt gebruikt om betere geneesmiddelen te maken.
Immunol was het immuniteitsversterkende middel dat ik gebruikte om Jennifer, het meisje uit praktijkvoorbeeld 6, te behandelen. Sindsdien heb ik het bij een aantal van mijn patiënten met veel succes gebruikt.

WAARUIT BESTAAT IMMUNOL?

Immunol bevat extracten van *Echinacea purpurea, Echinacea angustifolia, Baptisia tinctoria* en *Thuja occidentalis*, die allemaal worden onderworpen aan het hiervoor beschreven energieverrijkende proces. Onderzoek heeft uitgewezen dat de beide soorten van Echinacea (*Echinacea purpurea en Echinacea angustifolia*) een uitermate krachtig effect hebben wanneer zij in combinatie met elkaar worden gebruikt. Zij blijken namelijk synergetisch te zijn, dat wil zeggen: de ene versterkt het effect van de andere. Dit maakt Immunol een uniek product, omdat ik geen enkel ander immuniteitsversterkend middel ken dat beide kruidenextracten bevat. Bovendien bevat Immunol *Baptisia tinctoria* en *Thuja occidentalis*, waarvan de geneeskrachtige kwaliteiten reeds zijn beschreven.

WAAR WORDT IMMUNOL VOOR GEBRUIKT?

Immunol is vooral geschikt voor de behandeling van allergieën en telkens terugkerende infecties. Het kan echter in veel meer gevallen worden gebruikt, zoals blijkt uit tabel 9.

Tabel 9: Toepassingen van Immunol

Om een door bacteriën, virussen of schimmels veroorzaakte infectie te behandelen
Om het terugkeren van een infectie te voorkomen
Om patiënten die lijden aan allergieën (bijv. astma, eczeem, hooikoorts en voorhoofdsholte-ontsteking) *te helpen*
Om herstel na een ernstige ziekte te bevorderen
Om het immuunsysteem gedurende perioden van stress te beschermen
Om het immuunsysteem te stimuleren gedurende de behandeling van kanker (bestralingstherapie of chemotherapie)

KUNNEN ER BIJWERKINGEN OPTREDEN?

Er zijn geen bijwerkingen bekend bij het gebruik van Immunol, ingenomen in vloeibare of tabletvorm. Omdat Immunol echter het kruid Thuja bevat, geldt de waarschuwing vermeld bij Esberitox ook hier: vermijd het gebruik van Immunol tijdens de zwangerschap, omdat het contracties van de baarmoeder kan veroorzaken.

SAMENVATTING

Omdat de kruiden die in Immunol zijn verwerkt biologisch-dynamisch worden geteeld en worden onderworpen aan een energieverrijkend proces, is dit product bij uitstek in staat om de afweerkrachten van het lichaam te versterken. Immunol is uniek omdat het twee soorten van het kruid Echinacea bevat, die elkaars werking versterken.
Immunol is verkrijgbaar in de vorm van tabletten en druppels en is zowel voor kinderen als voor volwassenen zeer veilig in het gebruik. Gebruik tijdens de zwangerschap moet echter worden ontraden, omdat het middel contracties van de baarmoeder kan veroorzaken. Hoewel het vooral geschikt is voor allergiepatiënten en voor mensen die lijden aan telkens terugkerende infecties, kan Immunol in veel meer gevallen worden gebruikt. Het is een product dat ik van harte aanbeveel, omdat ik een voorstander ben van biologisch-dynamische teeltmethoden en omdat ik geloof in de gedachte achter de productie ervan en in de energie die in de bereiding wordt gestoken.

SAMENVATTING

Toen ik medicijnen studeerde leerde men mij manieren om het immuunsysteem te *onderdrukken* met medicijnen zoals steroïden, azathioprine en cyclosporine, die worden gebruikt bij patiënten die een transplantatie hebben ondergaan en bij de behandeling van bepaalde auto-immuunziekten. Ik leerde niet om de immuniteit van de patiënt te *versterken*. Pas jaren later ontdekte ik dat er wel degelijk manieren zijn om het immuunsysteem te stimuleren.
Het is bemoedigend om te zien dat kruiden als Echinacea, wilde indigo en Thuja steeds vaker door patiënten worden gebruikt om zichzelf en hun huisgenoten te beschermen. Moedig uw huisarts aan zich te verdiepen in deze kruiden, zodat hij of zij ze indien nodig voor u kan voorschrijven. Omdat Echinacea en wilde indigo zeer veilig zijn, kunt u ze zonder recept verkrijgen. Raadpleeg bij twijfel uw huisarts of apotheker.

7. Homeopathische geneeskunde

'Wie het kleine niet eert...'

Anders dan Duitsland en de VS heeft Ierland geen traditie op het gebied van de homeopathie. Daarom is deze vorm van geneeskunde in Ierland nog niet algemeen aanvaard en staat zij daar nog maar in de kinderschoenen. In Groot-Brittannië zijn daarentegen bijvoorbeeld vier homeopathische ziekenhuizen en een opleidingsinstituut voor artsen (in het Royal London Homeopathic Hospital), en wordt de behandeling door het ziekenfonds vergoed. Ook volgen veel Britse artsen in Duitsland, Oostenrijk en Frankrijk cursussen in homeopathie en natuurlijke geneeskunde. In die landen beoefent een groot aantal artsen, net als ik, de homeopathie, al dan niet in combinatie met de reguliere geneeskunde.
De meeste homeopathische geneesmiddelen hebben een plantaardige herkomst. Sommige worden verkregen uit mineralen, zoals zwavel en fosfor. Zeer kleine doses ervan worden gebruikt om de genezende krachten van het lichaam op een zeer specifieke manier te stimuleren. Als u bijvoorbeeld verkouden bent, zal een homeopaat een middel gebruiken om de hoest te stimuleren en zal hij u uitleggen dat uw lichaam de hoest gebruikt om een irriterende stof (een virus, ingeademd stof, rook) uit de luchtwegen te verdrijven. Met andere woorden: homeopathische geneesmiddelen stimuleren het lichaam om zichzelf te genezen. Echinacea en wilde indigo, kruiden waarover u al hebt gelezen, worden bij infecties vaak in homeopathische vorm gebruikt om de afweerkrachten van het lichaam te stimuleren.
Homeopathische geneesmiddelen versterken de van nature in het lichaam aanwezige kracht om te genezen. Omdat zij *geen bijwerkingen* hebben zijn ze zeer veilig, zelfs voor pasgeboren baby's. Evenals conventionele geneesmiddelen zijn ze verkrijgbaar in verschillende vormen, zoals tabletten, druppels, ampullen, zetpillen en neussprays.

Enkelvoudige en complexe homeopathie

Er zijn momenteel in Europa twee verschillende vormen van homeopathie te onderscheiden. De klassieke of meer traditionele vorm wordt enkelvoudige homeopathie genoemd. Deze vorm van homeopathie is gebaseerd op een enkel middel dat in een bepaalde situatie wordt gebruikt. Een klassiek homeopaat kiest een middel op basis van een gedetailleerd beeld van de patiënt; hij of zij probeert op basis van de klachten van de patiënt een passend middel te vinden.
De nieuwere vorm van homeopathie maakt gebruik van de zogenaamde complexmiddelen. De geneesmiddelen die hierbij worden gebruikt, be-

staan niet uit een enkelvoudig middel, maar uit een middel dat uit meer dan één homeopathische remedie bestaat. De meeste homeopathische artsen in Europa beoefenen tegenwoordig bij voorkeur de homeopathie met de zogenaamde complexmiddelen, omdat zij sneller werkt.
In onderstaande tabel vindt u voorbeelden van één enkelvoudig en van twee homeopathische complexmiddelen. Het enkelvoudige middel bevat één stof, in één concentratie of potentie; in dit geval Echinacea in een concentratie van 10 D – zie onderstaande tabel 10(a). Een complexmiddel kan een aantal verschillende stoffen bevatten – zie 10(c) of verschillende concentraties van een en dezelfde stof – zie 10(b).

Tabel 10: Enkelvoudige versus complexe homeopathische middelen

Enkelvoudig	*Complex*	
10(a)	*10(b)*	*10(c)*
Echinacea 10 D	Echinacea 10 D Echinacea 30 D Echinacea 100 D	Echinacea 10 D Baptisia 10 D Bryonia 30 D

Homeopathische complexmiddelen
Ik gebruik in mijn praktijk een aantal homeopathische complexmiddelen. Bij volwassenen en kinderen met acute infecties schrijf ik vaak Toxiloges voor. Bij kinderen die lijden aan telkens terugkerende infecties schrijf ik meestal Echinacea compositum voor. Deze twee middelen worden in Duitsland gemaakt en hebben min of meer dezelfde werking.

TOXILOGES
Toxiloges is geschikt voor zowel de behandeling van bacteriële als virale infecties. Het is vooral geschikt als preventief middel voor mensen die vatbaar zijn voor telkens terugkerende infecties. Het kan ook worden gebruikt om de herstelperiode na een ernstige infectie te verkorten.

Tabel 11: Toepassingen van Toxiloges

Infectieziekten
- verkoudheid en griep
- bronchitis
- amandelontsteking
- infectieuze kinderziekten: bof, mazelen
- plaatselijke infecties: steenpuisten, abcessen

Om infecties te voorkomen

Om de herstelperiode te verkorten

Toxiloges bevat een aantal homeopathische stoffen, waarvan sommige van plantaardige herkomst zijn (u herkent misschien de namen van sommige kruiden).

- Echinacea: een immuniteitsversterkend kruid
- Wilde indigo: hèt middel bij ontstekingen van het slijmvlies en plaatselijke infecties, zoals voorhoofdsholte-ontsteking
- Bryonia: tegen ontstekingen van het slijmvlies
- Eupatorium: tegen ontstekingen van het slijmvlies
- Ipecacuanha: slijmoplossend en dus geschikt voor de behandeling van hoest
- andere bestanddelen

Toxiloges bevat de anti-infectieuze en immuniteitsversterkende kruiden Echinacea en wilde indigo. Het bevat ook Bryonia en Eupatorium, die beide een remmende werking hebben op ontstekingen van het slijmvlies van de luchtwegen.

ECHINACEA COMPOSITUM

Een ander samengesteld middel dat ik vaak voorschrijf is Echinacea compositum. Het heeft, net als Toxiloges, een breed werkingsgebied. Echinacea compositum bevat dezelfde kruiden als Toxiloges, aangevuld met:

- Lachesis (slangengif): een uitstekend middel tegen infectieziekten
- Thuja (levensboom): werkzaam tegen virussen; belangrijk wanneer een infectie is behandeld met antibiotica
- Karmozijnbes (*Phytolacca americana*): om gezwollen lymfklieren te draineren
- Nosoden (entstoffen) tegen de bacteriën *Streptococcus spp.* en *Staphylococcus spp.*
- Een antigriep-nosode (entstof)

Echinacea compositum bevat naast Lachesis, Thuja en karmozijnbes ook kleefkruid (*Galium aparine*), dat uitstekend geschikt is om de lymfklieren te zuiveren van een infectie. Verder bevat Echinacea compositum nosoden of entstoffen om infecties van het streptokokken-, stafylokokken en influenzatype te behandelen. Het stelt de arts in staat infecties op een veilige manier te behandelen. Omdat de smaak van de kruidencombinatie van Echinacea compositum nogal uitgesproken is, gebruik ik voor jonge kinderen vaak de homeopathische vorm.

ENGYSTOL

Engystol is een complexmiddel dat vaak in combinatie met Echinacea wordt gebruikt om virusinfecties te behandelen. Het kan worden ingeno-

men in ampul- of tabletvorm. Engystol is geschikt voor de behandeling van virale infecties, zoals griep, verkoudheid, ziekte van Pfeiffer, een door virussen veroorzaakte maag-darmontsteking, koortsuitslag, gordelroos enz. Ook wordt momenteel onderzocht of het dienst kan doen als aanvulling op de behandeling van patiënten met hepatitis en AIDS.
Bij kinderen die lijden aan een door virussen veroorzaakte amandelontsteking schrijf ik naast het antivirale middel Engystol ook vaak Echinacea compositum-druppels en/of -ampullen voor om het afweersysteem van het lichaam te ondersteunen. Dit is een zeer effectieve manier om een acute infectie snel te overwinnen. In zo'n situatie adviseer ik nog eens zeven dagen door te gaan met het gebruik van de druppels om het herstel van het lichaam te ondersteunen. Zo nodig schrijf ik ook kleefkruid, al dan niet in homeopathische vorm, voor om de lymfklieren te draineren. Onderstaand praktijkvoorbeeld illustreert deze aanpak.

PRAKTIJKVOORBEELD 7 – **Jackie: amandelontsteking**

Jackie kwam meteen naar mij toe en niet, zoals zoveel mensen die op mijn spreekuur verschijnen, na eerst een hele serie andere artsen geconsulteerd te hebben. Zij klaagde over keelpijn. Haar amandelen waren ontstoken, maar er was geen pus (witte stippen op de amandelen). Zij had ook vergrote lymfklieren en een lage lichaamstemperatuur. Ik constateerde een virale amandelontsteking en schreef vitamine C, Echinacea compositum-ampullen en het antivirale middel Engystol in ampulvorm voor vijf dagen voor.
Achtenveertig uur na het begin van de behandeling was er een duidelijke verbetering in Jackie's toestand opgetreden. Daarna schreef ik kleefkruid voor om de lymfklieren te draineren.
Het ziektegeval van Jackie was betrekkelijk ongecompliceerd en het toont aan hoe eenvoudig het kan zijn om een acute infectie te behandelen met natuurlijke geneesmiddelen. Helaas zijn de problemen van veel van mijn patiënten heel wat gecompliceerder en reageren zij lang niet altijd zo goed op dergelijke simpele maatregelen.

Patiënten die lijden aan telkens terugkerende infecties moeten anders worden behandeld dan patiënten die lijden aan een incidenteel optredende acute infectie. Ik kom hier later op terug.
Kinderen reageren zó snel op homeopathische complexmiddelen, dat het een waar genoegen is om hen te behandelen. Het is prettig om voor anderen geneesmiddelen te kunnen voorschrijven, die ikzelf ook naar volle tevredenheid gebruik. Er hebben zich door de jaren heen enkele situaties voorgedaan waarin ik op deze geneesmiddelen teruggreep om een verkoudheid of griep te overwinnen. Ik heb er zowel bij mezelf als bij mijn gezin zulke goede resultaten mee behaald, dat we ze op reis altijd meenemen. Mijn jongste dochter, Marianne, die eerder in haar leven uitermate vatbaar was voor infecties, is dankzij deze middelen nu vrij van infecties en groeit voorspoedig.

SCHADELIJKE EFFECTEN VAN ANTIBIOTICA

Soms is het nodig om patiënten te behandelen voor de schadelijke gevolgen van het gebruik van antibiotica, zoals Gerard in praktijkvoorbeeld 4. Er zijn homeopathische geneesmiddelen die speciaal zijn bedoeld om de schade die bepaalde antibiotica in het lichaam aanrichten ongedaan te maken. Deze homeopathische middelen hebben soms dezelfde naam als het antibioticum, bijvoorbeeld tetracycline. Wanneer mijn patiënten zo'n naam zien, raken zij soms in de war en zijn dan bang dat ook ik hun antibiotica geef. Een simpele uitleg of het laten lezen van een bladzijde uit mijn *Materia Medica* (een boek waarin homeopathische geneesmiddelen zijn beschreven) neemt hun bezorgdheid dan weg.
Tabel 12 geeft een opsomming van de schadelijke gevolgen van het gebruik van antibiotica waar ik in mijn praktijk mee ben geconfronteerd.

Tabel 12: Schadelijke effecten van antibiotica

Effecten op de luchtwegen
- verhoogde slijmproductie
- chronische hoest
- verstopte neus
- oorpijn
- jeukende oren

Effecten op het spijsverteringskanaal
- buikpijn
- wee gevoel in de maag
- winderigheid
- verandering van de bacteriële flora
- beschadiging van de alvleesklier

Effecten op het genuttigde voedsel
- een verlaging van het gehalte aan bepaalde mineralen (zink, calcium en magnesium)
- een verlaging van het gehalte aan bepaalde vitaminen (K, B_2 en B_3)

Algemene effecten
- vermoeidheid
- stemmingswisselingen
- verminderde immuniteitsreactie

Als ik een van deze symptomen bij een patiënt waarneem, is dat voor mij een signaal dat er mogelijk sprake is van schade als gevolg van het gebruik van antibiotica en dat een homeopathisch 'tegengif' nodig kan zijn. Ik herinner mij in dit kader een jongeman, die twee tetracyclinekuren had gevolgd in verband met jeugdpuistjes. De eerste kuur duurde zes maan-

den en werd acht weken later gevolgd door een kuur van twaalf maanden. Wanneer een breed-spectrum-antibioticum gedurende dergelijke lange perioden wordt gebruikt is schade, vooral aan het spijsverteringsstelsel, bijna onvermijdelijk.
Ik verwees deze patiënt door voor onderzoek. Hierbij kwamen zowel een beschadiging van de alvleesklier als veranderingen in de bacteriële flora aan het licht. Verder wees dit onderzoek ook op de noodzaak van het gebruik van tetracycline in homeopathische vorm. Ik schreef dat dan ook voor. Dit verloste de patiënt niet van zijn jeugdpuistjes, maar het was nodig om hem positief op geneesmiddelen voor zijn jeugdpuistjes te kunnen laten reageren.
Dit is het moeilijke van het beoefenen van de homeopathie. Men moet eerst middelen gebruiken om de gezondheidstoestand van de patiënt te verbeteren (d.w.z. middelen om het lichaam te ontgiften) waardoor, wanneer men een middel voor een bepaalde klacht voorschrijft, de kans op genezing veel groter is.
Sommige patiënten vertonen zulke ernstige vergiftigingsverschijnselen dat ik weken- of maandenlang nodig heb voor het verbeteren van hun gezondheidstoestand voordat ik kan gaan beginnen met het behandelen van hun symptomen. Een dergelijk hoge giftigheidsgraad kan te wijten zijn aan een aantal factoren: het drinken van leidingwater dat zware metalen en chemicaliën bevat, zoals chloor en fluoride, het eten van voedsel waaraan chemische stoffen zijn toegevoegd, het inademen van vervuilde lucht, het gebruik van medicijnen (vooral steroïden, ontstekingremmende medicijnen en antibiotica), het overbelasten van het lichaam door te lang achtereen te werken of het gebruik van opwekkende middelen, zoals thee en koffie.

SAMENVATTING
Complexe of samengestelde homeopathische geneesmiddelen worden gebruikt om acute infecties en telkens terugkerende infecties te behandelen. Zij worden ook gebruikt om het immuunsysteem te versterken, om schade die medicijnen, zoals antibiotica, aan het lichaam kunnen toebrengen ongedaan te maken en om het lichaam te ontgiften (giftige stoffen uit het lichaam te verwijderen).

Enkelvoudige homeopathische middelen
Bij de klassieke of enkelvoudige homeopathie wordt één enkel middel gebruikt in één enkele potentie of concentratie. De keuze van het geneesmiddel hangt sterk af van de patiënt en de symptomen (zoals de tabellen 13 en 14 illustreren). Bij jonge kinderen is het vaak moeilijk om een goed beeld te krijgen. Hoewel enkelvoudige middelen vaak pas na verloop van tijd beginnen te werken zijn zij, als zij eenmaal werken, zeer effectief.

Tabel 13: Enkelvoudige homeopathische middelen tegen amandelontsteking

Symptomen	*Mogelijk middel*
wanneer de keelpijn erger wordt door slikken	Lachesis
wanneer de keelpijn minder wordt door slikken	Ignatia
wanneer de symptomen werden onderdrukt met antibiotica	Thuja
wanneer de klachten zich alleen rechts in de keel voordoen	Lycopodium
wanneer de amandelen gezwollen zijn	Apis mellifica

Tabel 14: Enkelvoudige homeopathische middelen tegen oorpijn

Symptomen	*Mogelijk middel*
wanneer de oorpijn volgt op een verkoudheid of op mazelen en gepaard gaat met een gele afscheiding; 's nachts erger	Pulsatilla
wanneer het kind prikkelbaar is en niet wil worden aangeraakt; de pijn kan ondraaglijk zijn; erger bij vooroverbuigen	Chamomilla
acuut begin van de pijn; de pijn is zeer hevig en het kind is een brokje wanhoop; de pijn kan uitstralen naar het gezicht of naar de nek	Belladonna

Chamomilla is het aangewezen middel bij het doorkomen van tanden bij jonge kinderen. Belladonna is hèt middel bij roodvonk. Alle enkelvoudige middelen en sommige complexmiddelen zijn verkrijgbaar bij een homeopathische apotheek. Raadpleeg uw huisarts.

Ik ben van mening dat de patiënt vanuit een brede invalshoek moet worden bekeken. Aspecten die de aandacht verdienen zijn onder meer: voeding, leefwijze en het gebruik van mineraal- en vitaminesupplementen. Ik heb ervaren dat een snel werkend complexmiddel vaak betere resultaten oplevert dan een enkelvoudig middel, vooral bij een door streptokokken veroorzaakte amandelontsteking. Daarom gebruik ik het liefst geneesmiddelen die op de eerste plaats anti-infectieus zijn. Hiertoe behoren Echinacea compositum, Toxiloges en de kruiden waarover u al eerder hebt gelezen.

De meeste geneesmiddelen die ik aan mijn patiënten voorschrijf zijn homeopathisch. Ik vind ze buitengewoon effectief, niet alleen bij de behandeling van acute infecties maar ook bij de behandeling van chronische en telkens terugkerende infecties. Ik heb er slechts een paar genoemd om te illustreren hoe zij werken. Er zijn echter veel meer preparaten op de markt. De meeste ervan zijn van Britse, Franse of Duitse origine, omdat de meeste betrouwbare homeopathische geneesmiddelen in Europa uit deze landen komen. Als u kiest voor deze vorm van geneeskunde is het belangrijk dat u geneesmiddelen gebruikt van gerenommeerde fabrikanten.

PRAKTIJKVOORBEELD 8 – **Karen: telkens terugkerende infecties in de onderste luchtwegen, vermoeidheid en tal van vage klachten**

Karen was pas vijf jaar toen zij met haar moeder vanwege bovengenoemde klachten op mijn spreekuur kwam. Onderzoek van het kind en een röntgenfoto van de borst brachten een infectie in het onderste gedeelte van de rechterlong aan het licht. Ik behandelde deze infectie met een homeopathisch middel, waarop het kind goed reageerde.

Twee herhalingen van de infectie in de daaropvolgende twee maanden deden echter vermoeden dat er meer aan de hand was. Ik vermoedde dat het immuunsysteem van het kind verzwakt was en verwees haar door voor echoscopisch onderzoek. Daaruit bleek dat het kwikzilver in de amalgaamvullingen van het gebit van de moeder het kind *in utero* (als foetus in de moederschoot) had aangetast. Ik schreef een homeopathisch ontgiftingsmiddel (Metex) voor, dat speciaal bedoeld is om kwikzilver en andere metalen uit het lichaam te verwijderen. Het is inmiddels een jaar later, en infecties in de onderste luchtwegen hebben zich sindsdien niet meer voorgedaan.

Dit geval is in twee opzichten interessant. Ten eerste heeft het me geleerd te vragen naar de gezondheidstoestand van de moeder tijdens de zwangerschap, naar gebruikte medicijnen tijdens de zwangerschap enz. Ten tweede heb ik geleerd dieper te graven bij het zoeken naar de oorzaak van een aandoening, vooral als het kind maar niet beter wordt. Ik vond een echoscopie in dit geval zeer nuttig, omdat het problemen aan het licht kan brengen die met behulp van de gebruikelijke klinische methoden maar moeilijk kunnen worden opgespoord.

Sinds ik Karen anderhalf jaar geleden liet onderzoeken, heb ik nog meer gevallen meegemaakt van kinderen wier gezondheid *in utero* was aangetast door kwikvergiftiging uit de vullingen van hun moeder. Kwik is zeer giftig en kan uit vullingen lekken en in de mond terechtkomen. Eenmaal ingeslikt wordt het in het bloed opgenomen. Op deze manier kan het de placenta passeren en de gezondheid van de foetus aantasten.

Het belang van homeopathische vaccinatie

In het midden van de jaren '70 brak er in Brazilië een epidemie uit van

bacteriële hersenvliesontsteking. In een poging om verspreiding van de ziekte tegen te gaan, entten homeopathische artsen meer dan 18.000 kinderen in met een homeopathische nosode (entstof) van de bacteriën die de hersenvliesontsteking veroorzaakten (*Neisseria meningitidis*). Bij deze groep kinderen deden zich daarna significant minder gevallen van hersenvliesontsteking voor dan bij andere kinderen in het gebied.
Het resultaat van deze behandeling toont duidelijk het belang aan van de homeopathie. Het illustreert bovendien de noodzaak om deze vorm van geneeskunde officieel te erkennen.
De homeopathische geneeskunde werd in Europa en Noord-Amerika zeer populair door het succes ervan bij het beteugelen van de cholera-epidemieën die deze continenten in de negentiende eeuw teisterden. Statistieken uit die tijd, van ziekenhuizen in verschillende delen van Europa, toonden aan dat het sterftecijfer in homeopathische ziekenhuizen zeer laag was vergeleken met dat in conventionele ziekenhuizen. Zo stierven er bijvoorbeeld in 1831 in Raab, Hongarije, slechts zes van de 154 met homeopathische middelen behandelde patiënten (4%), en 59% van degenen die op de conventionele manier waren behandeld. Elders in Europa varieerde het sterftecijfer tussen de 2 en 20% voor hen die met homeopathische middelen waren behandeld, en tussen de 50 en 60% voor hen die op conventionele wijze waren behandeld. Deze statistieken, die door de officiële instanties in deze landen niet openbaar werden gemaakt om de conventionele geneeskunde niet in diskrediet te brengen, getuigen overduidelijk van de kracht van homeopathie.
Meer recent vonden Gaucher e.a. (1992) homeopathische geneesmiddelen zo effectief bij het bestrijden van een cholera-epidemie in Peru, dat zij een grootschalig klinisch onderzoek zijn gestart. Homeopathische geneesmiddelen zijn goedkoop, effectief en gemakkelijk in het gebruik. Het is verstandig om ze te gebruiken, niet alleen vanuit financieel maar ook vanuit medisch oogpunt.

8. Voedingstherapie

'Gezonde voeding is de beste medicijn'

Eten en ademhalen zijn de twee belangrijkste dingen die we iedere dag doen om in leven te blijven. Het voedsel dat u nuttigt is van essentieel belang voor uw gezondheid. Goede voeding – natuurlijke voedingsmiddelen, die moeder natuur voor u bestemd heeft – voorziet uw lichaam van de stoffen die essentieel zijn voor een goede gezondheid, vooral een effectief immuunsysteem. Slechte voeding – onnatuurlijke of bewerkte voedingsmiddelen – leidt tot een gestage achteruitgang van uw gezondheid en maakt u vatbaarder voor infecties.
Na bijna twaalf jaar in Afrika gewoond te hebben, schrok ik bij mijn terugkeer in Europa van het soort voedsel dat mensen hier aten. In Afrika bestaat het dagelijks voedsel voor het grootste deel uit natuurlijke voedingsmiddelen. De mensen daar eten een minimum aan bewerkte voedingsmiddelen omdat die te duur zijn. Wat in de achtertuin groeit is goedkoop, wat industrieel bewerkt wordt is duur. In Europa is veel voedsel dat we consumeren 'dood'. Het bevat te veel suiker en heeft vaak een industriële bewerking ondergaan.

Afbeelding 9

Alle energie op aarde is afkomstig van de zon. De zon geeft ons warmte- en lichtenergie. Zoals afbeelding 9 laat zien, gebruiken planten de lichtenergie van de zon om voedsel te maken in een fascinerend proces,

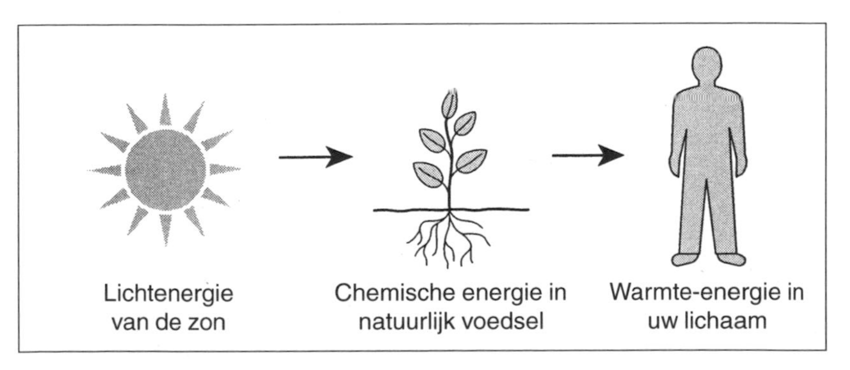

Afbeelding 10

genaamd fotosynthese. Tijdens de fotosynthese wordt lichtenergie omgezet in chemische energie. Deze energie wordt aan ons doorgegeven wanneer we de plant eten. Vandaar dat natuurlijke voedingsmiddelen rijk zijn aan energie. Eenvoudig uitgedrukt komt de energie van de zon in ons lichaam terecht en houdt ons gezond.
De mens maakt deel uit van een energieketen, zoals die is afgebeeld onderin pagina 91.

Het is geen wonder dat in veel culturen de zon werd aanbeden; hij is immers de schenker van het leven op aarde.
Veel van het voedsel dat we eten wordt echter aan deze energieketen onttrokken en wordt verwerkt in fabrieken. Vaak worden hieraan onnatuurlijke chemische stoffen toegevoegd, zoals smaakstoffen, kleurstoffen en conserveringsmiddelen. Het voedsel wordt beroofd van zijn natuurlijke energie, het is als het ware 'dood'. Het is door de aanwezigheid van deze toevoegingen, die extra kracht vergen om uit het lichaam te worden verwijderd, ook giftig.
De boodschap is duidelijk: hoe natuurlijker het voedsel is dat u eet, hoe meer energie het bevat en hoe gezonder het voor uw lichaam is.

Water
Water vormt de belangrijkste voedingsstof voor ons lichaam. Ongeveer 60% van het menselijk lichaam bestaat uit water, dus moeten we er elke dag veel van drinken. Aanbevolen wordt, dat een vrouw van 50 kg zo'n 1 à 1½ liter per dag en een man van 70 kg 1½ à 2 liter per dag drinkt.
Deze hoeveelheden zijn slechts richtlijnen; het belangrijkste is, dat u luistert naar uw eigen lichaam. Als u dorst hebt, drink dan water, maar let erop dat het gezond water is! Gefilterd of vers bronwater is het beste, gebotteld water is meestal beter dan leidingwater.
De kwaliteit van ons drinkwater is van eminent belang voor de volksgezondheid. Het lijkt wel alsof kinderen instinctief weten dat leidingwater minder geschikt is om te drinken; waarschijnlijk staan geur en smaak ervan hun tegen. Veel kinderen in de westerse wereld voorzien in het grootste deel van hun vochtbehoefte door frisdranken in plaats van water te drinken. Frisdranken bestaan uit koolzuurhoudend water waaraan smaak- en kleurstoffen en andere substanties zijn toegevoegd. In veel Ierse steden smaakt en ruikt leidingwater niet alleen vies, maar bevat het ook chloor, fluoride, zware metalen en andere chemicaliën die schadelijk kunnen zijn voor het lichaam. Als uw huisdieren het niet willen drinken, wees dan gewaarschuwd.
Chloor wordt gebruikt om schadelijke bacteriën in het drinkwater te doden (om dezelfde reden wordt het ook toegevoegd aan het water in zwembaden). Maar chloor doodt ook sommige 'goede' bacteriën in het

spijsverteringsstelsel van de mens. Aangetoond is, dat chloor astmatische aanvallen en arteriosclerose (aderverkalking) kan veroorzaken.
Een andere stof die in veel landen aan het drinkwater wordt toegevoegd is fluoride. Dit wordt gedaan om tandbederf te voorkomen, maar bewezen is dat fluoride schade aan de hersen- en zenuwcellen en aan de lever kan toebrengen. Ook veel botbreuken zijn toe te schrijven aan fluoride. Fluoride stimuleert weliswaar de botgroei, maar het bot wordt vaak onvoldoende van mineralen voorzien en daarmee vatbaarder voor breuken.
Als kind woonde ik op het platteland van Noord-Ierland. Wij hadden daar een waterput in onze achtertuin. Daaruit betrokken we jarenlang ons drinkwater. Omdat er in die tijd nauwelijks chemische bestrijdingsmiddelen werden gebruikt, was het water zuiver en geschikt om te drinken. Het kwam regelrecht van de natuur. Tegenwoordig laten chemische analyses van grondwater in verschillende delen van Europa geen twijfel bestaan over de schade die de afgelopen veertig jaar aan onze kostbare watervoorraden is toegebracht. Als gevolg daarvan zijn we genoodzaakt om gefilterd of gebotteld water te drinken.
Aan het eind van de jaren '60, toen ik nog op school zat, maakte ik met mijn klas een schoolreisje naar Frankrijk. Ik was verbaasd zoveel Fransen water uit een fles te zien drinken, omdat ik nooit eerder gebotteld water had gezien. Vandaag de dag is gebotteld water de gewoonste zaak van de wereld. Dit weerspiegelt hoe *onbetrouwbaar* ons drinkwater is geworden.
In Afrika is water een zaak van leven of dood. Door de consumptie van verontreinigd drinkwater wordt een groot aantal kinderen niet ouder dan één jaar: velen sterven aan maag-darmontstekingen en andere door water overgebrachte ziekten. Een goede drinkwatervoorziening is in Afrika de sleutel tot de gezondheid van een heel dorp of een hele gemeenschap. Helaas gaan we in Europa dezelfde kant op. De meest fundamentele voedingsstof, water, wordt steeds minder geschikt voor consumptie.

Suiker

De hoeveelheid suiker die kinderen en volwassenen in de westerse wereld gemiddeld tot zich nemen is werkelijk zorgwekkend. Het is verontrustend om te zien hoe veel suiker er zit in de voedingsmiddelen die in Europese supermarkten worden verkocht. De meeste soorten cornflakes en muesli bevatten suiker – een schaaltje muesli kan wel twee eetlepels suiker bevatten. Ook frisdranken hebben een hoog suikergehalte – één glas cola (200 ml) bevat zeven theelepels suiker! Deze voorbeelden tonen aan hoe belangrijk het is om de etiketten op bewerkte voedingsmiddelen te lezen. Als u de exacte hoeveelheid van een van de ingrediënten van een bepaald voedingsmiddel wilt weten, schrijf dan naar de fabrikant.

Geraffineerde suiker is, net als geraffineerd meel, een product van de westerse beschaving. Het is een *onnatuurlijk* voedingsmiddel en dus volkomen overbodig. Erger nog: het is slecht voor de gezondheid. Meer dan 150 jaar geleden waarschuwden Amerikaanse indianen al voor de schadelijke effecten van geraffineerde suiker op het lichaam. Volgens hen aten blanken te veel zoetigheid, wat het lichaam zou verzwakken. Inmiddels is duidelijk dat zij gelijk hadden.
Suiker bevordert de groei van een aantal bacteriën en schimmels: het is een uitstekend groeimiddel voor deze micro-organismen. Overmatige consumptie van zoetigheid kan de mens vatbaar maken voor infecties. Suikerconsumptie wordt geassocieerd met tandbederf, *candidiasis* (schimmelziekte van huid en slijmvliezen) en slijmproductie, vooral bij mensen die vatbaar zijn voor aandoeningen van de luchtwegen, zoals astmapatiënten. Veel mensen zijn tegenwoordig verslaafd aan suiker. Net zoals met sigaretten kan het erg moeilijk zijn om er van af te blijven.
Onderzoek, verricht door Sanchez e.a. (1973), heeft uitgewezen dat een hoge suikerconsumptie een negatief effect heeft op het immuunsysteem. De onderzoekers toonden aan dat suiker het vermogen van witte bloedlichaampjes om bacteriën in te kapselen en te doden vermindert. Dit onderzoek borduurde voort op de bevindingen van de Amerikaanse arts dr. Sandler die er, tijdens het behandelen van de slachtoffers van de polio-epidemie aan het eind van de jaren '40, van overtuigd raakte dat een hoge suikerconsumptie de mens vatbaarder maakt voor deze ziekte. Het in 1973 verrichte onderzoek bevestigde dr. Sandlers hypothese, dat geraffineerde suiker het immuunsysteem verzwakt. Andere onderzoeken hebben aangetoond dat suiker het lichaam berooft van bepaalde voedingsstoffen, waaronder zink (zie hoofdstuk 9, blz. 106), dat van essentieel belang is voor de immuniteitsfunctie.
De beste suiker is suiker zoals die in de natuur wordt aangetroffen, vooral in verse of gedroogde vruchten. Rozijnen en dadels zijn uitstekende bronnen van suiker en kunnen in plaats van geraffineerde suiker worden gebruikt om bijvoorbeeld muesli zoeter te maken. Veel Afrikanen kauwen op rietsuikerstengels en kennen niet de gezondheidsproblemen die wij in het westen hebben. Dit komt misschien doordat de natuurlijke stof het lichaam ook mineralen verschaft, zoals calcium, terwijl geraffineerde suiker het lichaam kan beroven van calcium.
Suiker heeft bij een ieder een schadelijk effect op de gezondheid. Maar het bedreigt vooral de gezondheid van jonge kinderen, die vaak enorme hoeveelheden consumeren. Veel van de kinderen die mijn kliniek bezoeken lijden aan telkens terugkerende infecties, astma en eczeem. Bij een onrustbarend aantal van hen is er ook sprake van een tekort aan mineralen. Het eerste wat ik ouders van deze kinderen aanraad, is een beperking van de suikerconsumptie. Sommige kinderen hebben zo'n slechte ge-

zondheid, dat het noodzakelijk is het gebruik van suiker gedurende een beperkte periode helemaal te schrappen. Op die manier geeft men het lichaam de kans zich te herstellen. Deze behandeling werpt vrijwel onmiddellijk vruchten af: de eetlust en de energie nemen toe, en het hele lichaam begint beter te functioneren.

Onder de volwassenen die ik behandel is er bijna sprake van een epidemie van schimmelinfecties, huiduitslag en *intestinale candidiasis* (een schimmelziekte van het darmslijmvlies). Veel van deze infecties verbeteren wanneer suiker en suikerhoudende voedingsmiddelen uit het dieet worden geschrapt.

Tijdens de lezingen die ik houd wordt mij vaak gevraagd: 'Heeft het lichaam dan geen suiker nodig?' Mijn antwoord is: 'Jawel. Maar niet in de vorm van onnatuurlijke suikers, zoals glucose, dextrose en sucrose, vaak en in grote hoeveelheden genuttigd. De suiker in vruchten en honing, fructose, is natuurlijk en veel gezonder.' Verder is het belangrijk te weten dat meelspijzen, zoals aardappelen en rijst, bestaan uit lange ketens van glucosemoleculen. Deze ketens worden door de spijsverteringsorganen langzaam afgebroken, waardoor de glucose geleidelijk in het bloed wordt opgenomen.

Laten we eens kijken naar de twee lijnen in afbeelding 11. Wanneer natuurlijke zetmeelhoudende voedingsmiddelen worden genuttigd, stijgt de

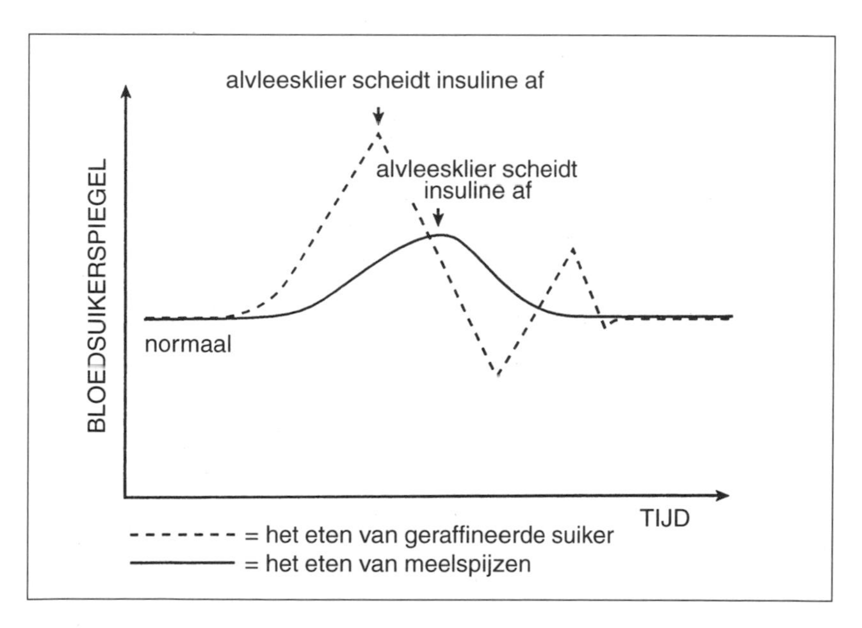

Afbeelding 11: Effecten op het lichaam van zetmeel en geraffineerde suiker

bloedsuikerspiegel geleidelijk (ononderbroken lijn). Wanneer deze een bepaald punt bereikt, scheidt de alvleesklier insuline af en daalt de bloed-

suikerspiegel weer langzaam tot de normale waarde. Het tegenovergestelde gebeurt, wanneer voedingsmiddelen worden genuttigd die rijk zijn aan geraffineerde suiker (zoals snoep): grote hoeveelheden glucose komen snel in het bloed terecht (onderbroken lijn). Omdat een verhoogd suikergehalte in het bloed (hyperglycaemie) gevaarlijk kan zijn, gaat de alvleesklier over tot het afscheiden van grote hoeveelheden insuline.
De stijgingen en dalingen van de bloedsuikerspiegel door het nuttigen van suikerhoudend voedsel brengen het lichaam uit zijn evenwicht. Zij belasten de alvleesklier en de bijnieren (deze laatste scheiden adrenaline af) en kunnen tot gevolg hebben dat de bloedsuikerspiegel tot onder de normale waarde daalt (hypoglycaemie), zoals te zien is aan het laagste punt van de stippellijn. Het incidenteel nuttigen van suikerhoudend voedsel hoeft niet tot al te veel problemen te leiden; problemen doen zich alleen voor, wanneer de alvleesklier en bijnieren constant te zwaar worden belast. Voorkom dergelijke problemen door alleen natuurlijke voedingsmiddelen te eten. Vermijd het gebruik van suikers die zijn gebleekt of chemisch geraffineerd en als schadelijk voor het lichaam worden beschouwd.

Bewerkt voedsel
De natuur heeft ons niet voorbestemd tot het eten uit flessen, blikken, potten en pakjes. Het lichaam houdt van voedsel dat het gemakkelijk kan verteren en opnemen. En dat geldt niet alleen voor eiwitten, koolhydraten en vet, maar ook voor vitaminen en mineralen. Het is logisch om een natuurlijk systeem in stand te houden met natuurlijke voedingsmiddelen. Minder logisch is het om onnatuurlijke chemische stoffen, zoals die voorkomen in bewerkte voedingsmiddelen, te consumeren.
In de jaren '50 en '60 werden bewerkte voedingsmiddelen opgenomen in het dubieuze pakket, genaamd 'vooruitgang', dat aan mensen in het westen werd verkocht. De kruidenier op de hoek maakte plaats voor de supermarkt, en algemeen werd aangenomen dat 'groter' gelijk was aan 'beter'. En de supermarkten werden almaar groter. Bedenk dat de voedselverwerkende industrie vooral geïnteresseerd is in het maken van winst, niet in uw gezondheid! Het is bemoedigend om te zien dat boerenmarkten weer in opkomst zijn en dat de verkrijgbaarheid van biologisch-dynamisch voedsel toeneemt. Deze trend moet worden gestimuleerd in het belang van onszelf en van onze kinderen. Vraag uw groenteman om biologisch-dynamische producten in zijn assortiment op te nemen.
De kwaliteit van commercieel geproduceerde cornflakes, vruchten en groenten is de afgelopen tien jaar aanmerkelijk gedaald. Een wortel die gekweekt is in een groentekwekerij dichtbij een grote stad is over het al-

gemeen van veel mindere kwaliteit dan een wortel die gekweekt is in een onvervuild gebied. Onder de druk van de economie worden in de commerciële land- en tuinbouw chemicaliën gebruikt; dit heeft uitputting van de grond tot gevolg. Uitgeputte grond brengt uitgeputte groenten van mindere kwaliteit voort. Alle voedingsstoffen die een wortel nodig heeft moeten uit de grond komen. Intensieve land- en tuinbouw berooft de grond van essentiële mineralen en vitaminen. Als u voedsel eet dat onder deze omstandigheden is verbouwd, onthoudt u uw lichaam essentiële voedingsstoffen. Op deze manier begint de kringloop van mineraal- en vitaminegebrek.
De beste graanproducten, vruchten en groenten zijn afkomstig van biologisch-dynamische bedrijven, dat wil zeggen: land- en tuinbouwbedrijven die geen kunstmest en chemische bestrijdingsmiddelen gebruiken, wat de grond de gelegenheid biedt de tekorten tussen de verschillende oogstcycli weer aan te vullen.
Daarom is het zo belangrijk te weten hoe en waar uw vruchten en groenten worden verbouwd. Als u twijfelt, kweek ze dan zelf of koop biologisch-dynamische producten.

Biogarde

Als u wist hoe belangrijk het is om biogarde te nuttigen, zou u er iedere dag massa's van eten! Als u darmproblemen en darmaandoeningen, van hardlijvigheid tot darmkanker, wilt voorkomen, eet dan iedere dag 100 à 200 ml biogarde.

Wat is biogarde?

Biogarde is een melkproduct dat culturen van de bacteriën *Lactobacillus bulgaricus* en *Streptococcus thermophilus* bevat. Deze komen voor in de meeste gefermenteerde melkproducten, waaronder yoghurt en karnemelk. Daarnaast bevat biogarde culturen van bacteriën waarvan bekend is dat zij belangrijk zijn voor de darmfunctie: *Lactobacillus acidophilus* en *Bifidobacterium bifidus* (vaak afgekort tot respectievelijk Acidophilus en Bifidus). Deze twee culturen bevatten het geheim van de therapeutische werking van biogarde.

Wat is het verschil tussen biogarde en gewone yoghurt?

Het verschil tussen biogarde en yoghurt is dat biogarde, nadat de culturen van de bacteriën Acidophilus en Bifidus zijn toegevoegd, niet meer wordt verhit. Daarom kunnen deze bacteriën in de darmen overleven en zich vermenigvuldigen. Yoghurt heeft vrijwel altijd een hittebehandeling ondergaan, wat de nuttige bacteriën doodt. Deze yoghurts hebben dus niet dezelfde therapeutische waarde als yoghurts die een levende cultuur van Acidophilus en Bifidus bevatten, zoals biogarde.

WAAROM IS BIOGARDE ZO GEZOND?

De huid, het spijsverteringskanaal (van mond tot anus) en de vagina worden bevolkt door miljarden bacteriën. Zij zijn essentieel voor het goed functioneren van deze organen. Deze miljarden bacteriën worden ook wel aangeduid als de *bacteriële flora* van het lichaam. Zij leven zowel op de huid als binnen in ons lichaam. De meeste van deze bacteriën bevinden zich in het spijsverteringskanaal, waar zo'n 500 verschillende soorten leven. Al deze bacteriën te samen worden de *darmflora* genoemd. De darmflora speelt niet alleen een belangrijke rol bij de vertering van het voedsel en de ontgifting van het lichaam, maar is ook van essentieel belang voor het goed functioneren van het immuunsysteem.

De kwaliteit van onze darmflora wordt bepaald door het evenwicht tussen de verschillende soorten bacteriën. Iedere soort houdt de andere soorten onder controle en voorkomt een te welige groei van één bepaalde soort. Dit ecologisch evenwicht kan worden verstoord door verschillende factoren, zoals dieet, chronische stress, een operatie, grote temperatuurverschillen en het gebruik van medicijnen (zoals antibiotica). Als de bacteriële flora van het lichaam gedeeltelijk vernietigd is, bijvoorbeeld door het gebruik van een antibioticum, kunnen schadelijke bacteriën de plaats innemen van de vernietigde 'goede' bacteriën. Sommige antibiotica, zoals amoxycilline, kunnen de bacteriële flora in de darmen en in de vagina verstoren. In deze organen kan zich dan een schimmelinfectie ontwikkelen, die wordt veroorzaakt door *Candida albicans*. Schimmelinfecties in de vagina vertonen duidelijke symptomen (vaginale afscheiding); schimmelinfecties in de darmen blijven daarentegen vaak onopgemerkt, omdat er in het begin weinig of geen symptomen zijn.

Bij een gezond mens produceren 'goede' bacteriën, zoals die voorkomen in biogarde (Acidophilus en Bifidus), zuren, waaronder melkzuur. Hiermee houden deze bacteriën hun omgeving zuur. Schadelijke bacteriën en schimmels die verantwoordelijk zijn voor infecties kunnen in een zuur milieu niet gedijen. Zij kunnen zich alleen ontwikkelen wanneer de omgeving minder zuur wordt. Dit kan gebeuren wanneer bepaalde medicijnen worden gebruikt (vooral antibiotica en de anticonceptiepil). Deze medicijnen veranderen de natuurlijke bacteriële flora in het spijsverteringskanaal en de genitaliën, wat een chronische infectie van deze organen met schadelijke bacteriën of schimmels tot gevolg kan hebben.

'Goede' bacteriën spelen een uiterst belangrijke rol in de spijsvertering. Hoe hoger het percentage van deze 'goede' bacteriën in het spijsverteringskanaal is, des te meer de peristaltiek (natuurlijke samentrekkingen van de darmen) wordt gestimuleerd. De darmperistaltiek zorgt ervoor dat afvalstoffen in de ontlasting uit het lichaam worden verdreven.

Aangetoond is, dat de samenstelling van de bacteriële populatie in de darmen van grotere invloed op de werking van de darmen is dan de toe-

voer van voedingsvezels. In de medische wereld worden zemelen nog altijd als het belangrijkste wapen in de strijd tegen darmproblemen gezien. Maar al toen ik medicijnen studeerde was de samenhang tussen kanker van de dikke darm en verstoringen in de bacteriële populatie van de darmen onomstotelijk aangetoond.
Een gezonde darmflora heeft nog meer gunstige effecten. Laten we enkele ervan eens nader bekijken.

1. Effecten van de darmflora op kanker van de dikke darm
Vele onderzoeken hebben aangetoond dat kanker van de dikke darm bij vegetariërs veel minder vaak voorkomt dan bij vleeseters. Ontlastingsmonsters van strenge vegetariërs vertonen een duidelijk grotere populatie van de goede melkzuurbacterie *Lactobacillus acidophilus*. Het eten van vlees heeft een toename van het aantal rottingsbacteriën (de slechte bacteriën) en een afname van het aantal melkzuurbacteriën (de goede) tot gevolg. Rottingsbacteriën produceren chemische stoffen (bijv. toxische aminen) die het slijmvlies van de dikke darm kunnen beschadigen en uiteindelijk een kankergezwel kunnen veroorzaken. Omdat melkzuurbacteriën hiertegen bescherming bieden is het belangrijk om ze dagelijks in te nemen als voorzorgsmaatregel tegen kanker van de dikke darm.
Er zijn ook aanwijzingen dat 'goede' bacteriën een belangrijke rol spelen gedurende de behandeling van kanker van de dikke darm. Neumeister (1969) toonde aan dat supplementen van de twee bacteriën die voorkomen in biogarde, *Lactobacillus acidophilus* en *Bifidobacterium bifidus*, ingenomen gedurende de bestralingstherapie de bijwerkingen van deze behandeling (bijv. diarree) verminderde van 61% tot 21%. Andere onderzoeken hebben dit bevestigd, dus ik adviseer het gebruik van een cultuur van deze nuttige bacteriën (bijv. biogarde) gedurende de behandeling van kanker met radiotherapie en chemotherapie.

2. De darmflora en de opname van calcium
Een gezonde darmflora bevordert de opname van calcium door de darmwand in de bloedbaan. Zoals eerder uiteengezet produceren 'goede' bacteriën in de darmen zuren, waaronder melkzuur. Een zuur milieu bevordert de opname van calcium. Dit is vooral belangrijk bij het voorkómen van osteoporose*, een aandoening die na de menopauze veel voorkomt bij vrouwen die zich niet voldoende bewegen en weinig calcium met de voeding tot zich nemen. Het dagelijks nuttigen van biogarde kan de opname van calcium bevorderen en osteoporose helpen voorkomen.

* Osteoporose treedt op wanneer calcium aan de botten wordt onttrokken, waardoor deze vatbaarder worden voor fracturen.

3. De darmflora en cholesterol
Verscheidene onderzoeken hebben aangetoond dat de consumptie van 'goede' bacteriën, zoals Acidophilus, leidt tot een verlaging van de cholesterolspiegel van het bloed (Mann en Spoerry, 1974; Mann, 1977). Uit een van deze onderzoeken bleek dat baby's die flesvoeding kregen waaraan melkzuurbacteriën waren toegevoegd, lagere gehalten aan bloedcholesterol hadden dan baby's die melk zonder melkzuurbacteriën kregen. Vergelijkbare waarnemingen werden gedaan bij biggen die werden gevoed met cholesterolverhogend voer.
Deze onderzoeken tonen aan dat de consumptie van 'goede' bacteriën, zoals die voorkomen in biogarde, het cholesterolgehalte van het bloed kan verlagen en daarmee het risico van hartziekten kan verminderen.

4. De darmflora en hardlijvigheid en diarree
Zowel hardlijvigheid als diarree kunnen met biogarde worden behandeld. Talloze medisch-wetenschappelijke onderzoekers hebben de gunstige effecten aangetoond die melkzuurbacteriën, in de vorm van biogarde of in de vorm van gevriesdroogde capsules, hebben op de darmperistaltiek.
Een regelmatige stoelgang is voor iedereen belangrijk, maar vooral voor oudere mensen. Het nuttigen van biogarde door ouderen is niet alleen goed voor de darmen, maar voor het hele lichaam. Het calcium in biogarde beschermt tegen osteoporose.
Diarree is een veel voorkomend probleem voor vakantiegangers. Reizigers lijden vaak aan allerlei maag- en darmproblemen, vooral ontstekingen van maag en darm, die kunnen overgaan in langdurige infecties. Het nuttigen van melkzuurbacteriën voor en tijdens een vakantie kan bescherming bieden tegen ziekten die worden veroorzaakt door schadelijke bacteriën in de darmen.

5. De darmflora en het gebruik van antibiotica
Behandeling van een ziekte met een antibioticum (vooral breed-spectrum-antibiotica, zoals amoxycilline, tetracycline en ampicilline) en het langdurig gebruik van antibiotica (zoals bij de behandeling van jeugdpuistjes) verstoren altijd het evenwicht van de darmflora. Zeer sterke antibiotica, zoals clindamycine en lincomycine, kunnen ingrijpende veranderingen teweegbrengen. Orale toediening van antibiotica veroorzaakt vaak maag- en darmstoornissen, vooral bij jonge kinderen. Velen klagen over vage symptomen, zoals misselijkheid, onbestemde pijn en een wee gevoel in de buik. Anderen hebben symptomen als diarree (waarschijnlijk de meest voorkomende bijwerking van antibiotica), winderigheid, een opgeblazen gevoel en gebrek aan eetlust. Tot de mogelijke bijwerkingen op lange termijn behoren: allergieën, telkens terugkerende infecties, overgevoeligheid van de darmen, chronische *intestinale candidiasis*

(een schimmelziekte van het darmslijmvlies), suikerziekte en beschadiging van de lever.
Vanwege de toegenomen vatbaarheid voor ziekten na een behandeling met antibiotica is het van het grootste belang om het evenwicht in de darmflora zo snel mogelijk te herstellen. In de jaren '50 adviseerden artsen hun patiënten om gedurende een antibioticakuur een cultuur van nuttige bacteriën te gebruiken. Tegenwoordig gebeurt dit niet meer, hoewel het gebruik van antibiotica, die ook nog eens steeds sterker worden, alleen maar is toegenomen.
Gebruik gedurende een antibioticakuur een supplement van 'goede' bacteriën, bij voorkeur Acidophilus in combinatie met Bifidus. Dit beschermt u tegen allerlei bijwerkingen in maag en darmen.

6. De darmflora produceert vitaminen die essentieel zijn voor de gezondheid
Het is wetenschappelijk bewezen dat een cultuur van nuttige melkzuurbacteriën, zoals die voorkomt in biogarde en andere gefermenteerde melkproducten, een enorme toename van de concentraties foliumzuur en B-vitaminen tot gevolg heeft. Onduidelijk is echter, hoeveel van deze vitaminen daadwerkelijk door de darmwand worden opgenomen en in de bloedbaan terechtkomen.
Melkzuurbacteriën in de darmen produceren vitamine K_2. Deze vitamine is nodig voor de vorming van stoffen in de lever die noodzakelijk zijn voor de bloedstolling. Voor een goede bloedstolling is het lichaam dan ook afhankelijk van de bacteriën in de darmen die vitamine K_2 produceren. Een gebrek aan vitamine K kan neusbloedingen, ernstige bloeduitstortingen, bloed in de urine (bloedwateren) en buitensporig bloedverlies tijdens de menstruatie veroorzaken. Gelukkig komt vitamine K in ruime mate voor in bladgroenten als vitamine K_1. Als de darmflora is verstoord kunt u een vitamine K-gebrek voorkomen door veel bladgroenten te eten. In ziekenhuizen komt gebrek aan vitamine K vaak voor bij pasgeboren baby's, omdat zij geen melkzuurbacteriën in de darmen hebben die deze vitamine aanmaken. Veel ziekenhuizen geven baby's bij hun geboorte 1 mg vitamine K als voorzorgsmaatregel tegen het optreden van spontane bloedingen; een bewijs temeer van het belang van een gezonde bacteriële populatie in het spijsverteringskanaal.
Bij de primitieve volken waaronder ik jaren heb geleefd – de Fulani van West-Afrika, de Masai van Oost-Afrika, de Bosjesmannen van zuidelijk Afrika en de Zoeloes, Sotho en Xhosa van Zuid-Afrika – viel het mij op dat zij allemaal gestremde (gefermenteerde) melk gebruikten. Ook in Europa gebruikte men vroeger vooral gefermenteerde melk, zoals yoghurt, gestremde melk, karnemelk enzovoort. U weet nu waarom! De wijsheid van deze oude gewoonten is nu wetenschappelijk bevestigd.

7. Een gezonde darmflora kan darminfecties voorkomen
Wetenschappers hebben aangetoond dat melkzuurbacteriën stoffen produceren die de groei van ziekteverwekkende organismen remmen. Het gebruik van melkzuurbacteriën als voedingssupplement heeft zowel bij mensen als bij dieren een gunstige uitwerking op darminfecties (Shahani en Ayebo, 1980). Melkzuurbacteriën produceren *biocinen*, die binnendringende ziekteverwekkers in hun groei kunnen remmen of kunnen doden. *Lactobacillus acidophilus* is zo'n melkzuurbacterie die verscheidene van deze stoffen, zoals acidophiline, lactocidine en acidoline, produceert (Hamdan e.a., 1973).

8. De darmflora stimuleert het immuunsysteem
De bacteriële populatie in de darmen is voortdurend aan veranderingen onderhevig. Het betreft een dynamische populatie, geen statische. Het lichaam moet op deze veranderingen inspelen, en vooral het immuunsysteem moet adequaat reageren. Veranderingen in de bacteriële flora stimuleren het immuunsysteem en verhogen op die manier de weerstand van het lichaam. Dit immuniteitsversterkende effect als gevolg van veranderende darmflora is vooral belangrijk op het moment waarop het lichaam tussen de onschuldige bacteriën ook schadelijke bacteriën waarneemt. Dit toont het grote belang van de darmflora voor uw immuunsysteem.

Dit zijn slechts enkele voordelen van het gebruik van een bacterieel supplement. Ik raad u aan iedere dag een supplement in te nemen, vooral als u darmproblemen hebt of als u een antibioticakuur volgt.

Andere bacteriële supplementen
Biogarde wordt in de regel gemaakt van koemelk, hoewel het ook van schapen- of geitenmelk kan worden gemaakt. Wanneer u geen gefermenteerde melk in de vorm van biogarde wilt gebruiken, kunt u ook kiezen voor een bacterieel supplement in de vorm van gevriesdroogde capsules. Deze capsules bevatten de nuttige bacterie *Lactobacillus acidophilus*, alleen of in combinatie met andere bacteriën, zoals *Bifidobacterium bifidus*. Deze capsules zijn in de meeste reformwinkels en apotheken te koop, bijvoorbeeld onder de merknaam Biodophilus of Darmplus. Hoewel deze capsules uitstekend zijn, geef ik de voorkeur aan wat moeder natuur te bieden heeft, dat wil zeggen: gefermenteerde melk. Ik ben me er echter van bewust dat sommige mensen, vooral kinderen, moeite hebben om biogarde in te nemen. En anderen zijn weer allergisch voor koemelk. Voor hen vormen gevriesdroogde capsules een uitstekend alternatief. Als u capsules gebruikt, bewaar ze dan op een koele plaats en bedenk dat ze na opening slechts ongeveer drie weken goed blijven en dus na deze periode vervangen moeten worden.

Er zijn een paar dingen waarmee rekening moet worden gehouden wanneer men een bacterieel supplement gebruikt. Bacteriën zijn gevoelig voor temperatuur, gebruik dus geen erg koud of erg heet voedsel/drank samen met het supplement. Verder is het belangrijk om voedingsmiddelen op de juiste manier te combineren wanneer men een supplement gebruikt. Combineer bijvoorbeeld geen eiwithoudende met zetmeelhoudende voedingsmiddelen (brood, aardappelen, rijst, pasta) in één maaltijd. Als voedingsmiddelen niet goed worden gecombineerd, blijft het voedsel te lang in de maag. Hierdoor worden de bacteriële supplementen te lang blootgesteld aan maagzuur, wat alle bacteriën kan uitroeien. Hoe sneller het bacteriële supplement uit de maag verdwijnt en in de dunne darm terecht komt, hoe groter het aantal bacteriën dat zal overleven.

Wei

Little Miss Muffet
Sat on a tuffet,
Eating her curds and whey...

De '*curds*' (Ned.: wrongel, gestremde melk) die Little Miss Muffet in dit oude Engelse versje at bevatte waarschijnlijk dezelfde culturen van nuttige bacteriën als die voorkomen in biogarde. Wei (Eng.: *whey*) is een bijproduct bij de bereiding van kaas. Wanneer het vet en het eiwit uit de melk zijn verwijderd om kaas te maken, blijft een product over dat wei wordt genoemd. Het bevat een hoge concentratie melkzuur en melkenzymen. Zuren, zoals melkzuur, zorgen voor een lage pH-waarde in de darmen en roeien een teveel aan ongezonde bacteriën en schimmels uit. De lage pH-waarde stimuleert ook de peristaltiek, die nodig is voor een regelmatige stoelgang.
Omdat wei rijk is aan zuren, is het een natuurlijk ontsmettingsmiddel. Het is een uitstekend middel tegen keelpijn en catarrale infecties in de luchtwegen. In de negentiende eeuw waren wei-kuren in heel Europa populair. Velen, ook personen van koninklijken bloede, bezochten de kuuroorden van Zwitserland om een 'wei-kuur' te volgen. Deze werden toegepast om darmstoornissen (van hardlijvigheid tot aandoeningen van de alvleesklier), problemen met de hormoonhuishouding, zwaarlijvigheid en hart- en vaatziekten te behandelen.
Net als biogarde moet wei regelmatig worden ingenomen, vooral bij darmproblemen als winderigheid, hardlijvigheid, verminderde darmfunctie, verandering in de bacteriële populatie, ontsteking van de darmuitstulpingen, ontsteking van de dikke darm en chronische darminfecties. Ik heb de afgelopen zes jaar al deze darmstoornissen behandeld en kan onderschrijven wat Zwitserse artsen al vele jaren zeggen over het belang van wei en biogarde.

Meng bij inwendig gebruik een theelepel tot een eetlepel wei in een glas water en neem zo'n dosis bij iedere maaltijd in. Dit reguleert de afscheiding van zuur door de maag en helpt de dikke darm. Omdat wei een bijproduct is van de kaasbereiding, kan het worden verkregen bij boerderijen waar kaas wordt gemaakt. Het is ook verkrijgbaar in sommige reformwinkels. Molkosan is een product van dr. Alfred Vogel, de beroemde Zwitserse natuurgenezer, en is een uitstekende bron van wei.

SAMENVATTING

Toen ik pas als arts was afgestudeerd wist ik zeer weinig over voeding. De meeste kennis op dit gebied heb ik opgedaan tijdens cursussen in natuurlijke geneeskunde die ik sindsdien, voornamelijk in Oostenrijk, heb gevolgd. Vroeger beschouwde ik voeding als onbelangrijk en minder interessant dan farmacologie (het gebruik van medicijnen). Nu besef ik echter het belang van gezonde voeding. Eten is, naast ademhalen, immers het belangrijkste wat we iedere dag doen. Wat we in ons lichaam stoppen is van het allergrootste belang. Voeding zou in de opleiding van artsen een vooraanstaande plaats behoren in te nemen.
Het dagelijks drinken van voldoende water en het beperken of achterwege laten van de consumptie van suiker en bewerkte voedingsmiddelen komt uw gezondheid enorm ten goede.
Biogarde verschilt in belangrijke mate van gewone yoghurt doordat biogarde, nadat de culturen van de nuttige bacteriën *L. acidophilus* en *B. bifidus* aan de melk zijn toegevoegd, niet meer wordt verhit. Daarom kunnen deze bacteriën in de darmen overleven en zich vermenigvuldigen.
De voordelen van een hoge concentratie nuttige bacteriën in de darmen zijn legio. Enkele voorbeelden: verbeterde spijsvertering, verhoogde weerstand, verminderd risico van darmziekten (vooral kanker), verbeterde opname van belangrijke voedingsstoffen (zoals calcium) en lagere cholesterolspiegel van het bloed.
Ik wil nogmaals benadrukken hoe belangrijk het is om biogarde te gebruiken tijdens de behandeling van ziekten met antibiotica, bij het ondergaan van chemo- of bestralingstherapie, bij hardlijvigheid, ontsteking van de dikke darm, ontsteking van de darmuitstulpingen en darmpoliepen. De darmfunctie, die de sleutel is tot een goede gezondheid, is enorm gebaat bij de dagelijkse consumptie van biogarde en wei. Veel van mijn patiënten waren alleen hiermee al geholpen, en hebben geen medicatie nodig gehad. Bedenk dat gezond voedsel en water de beste medicijnen zijn!

PRAKTIJKVOORBEELD 9 – **Jane: darmproblemen**

Een aantal van mijn patiënten met darmproblemen heeft veel baat gehad bij het gebruik van bacteriële supplementen. Jane is hier een goed voorbeeld van. Zij kwam naar me toe met klachten over diarree, afgewisseld door perioden van hardlijvigheid, opgeblazen gevoel en buikkrampen, vooral na het eten. Zij vertelde me dat haar man zei dat haar buik de hele nacht rommelde. Zij zelf was zich maar al te zeer bewust van de borrelende geluiden in haar darmen en voelde zich daardoor erg opgelaten.

Jane slikte al vijf jaar onafgebroken de anticonceptiepil. Zij had het laatste jaar voor de behandeling van acne ook tetracycline en doxycycline gebruikt, beide drie maanden lang.

Ik vermoedde een stoornis van de darmflora, en wel om drie redenen: het gebruik van twee breed-spectrum-antibiotica, waarvan bekend is dat zij een ernstige verstoring van de darmflora kunnen veroorzaken, en het gebruik van de pil, waarvan ook bekend is dat het de darmflora kan verstoren. Laboratoriumonderzoeken brachten een laag percentage melkzuurbacteriën in Jane's ontlasting aan het licht. Bij navraag naar haar voedingsgewoonten bleek dat zij veel industrieel bewerkte voedingsmiddelen at en nauwelijks verse groenten en fruit. Bovendien combineerde zij de voedingsmiddelen niet goed.

Ik vertelde Jane hoe zij haar voeding het beste kon samenstellen, vroeg haar meer vers fruit en verse groenten te eten en adviseerde een bacterieel supplement, in dit geval biogarde. Ze moest dit drie maanden lang dagelijks gebruiken, evenals een eetlepel wei in een glas water bij iedere maaltijd. Met deze simpele maatregelen werd haar darmfunctie weer normaal en verdwenen het opgeblazen gevoel en de krampen. Een geneesmiddel was in Jane's geval niet nodig. Dat verbaasde mij, omdat ik bij haar eerste bezoek inschatte dat ik Tetracycline-injeel zou moeten gebruiken, een homeopathisch geneesmiddel om de schadelijke effecten van tetracycline in het lichaam ongedaan te maken. Jane bewees dat simpele maatregelen vaak het best werken als men ze de tijd gunt, en dat goed voedsel vaak de beste medicijn is.

9. Voedingssupplementen

Voedingssupplementen in de vorm van vitaminen en mineralen worden steeds belangrijker, zelfs als u gezond eet en uw voeding evenwichtig is samengesteld. Wanneer de grond waarin ons voedsel groeit arm is aan voedingsstoffen, kan dit tekort in de hele voedselketen doorwerken.

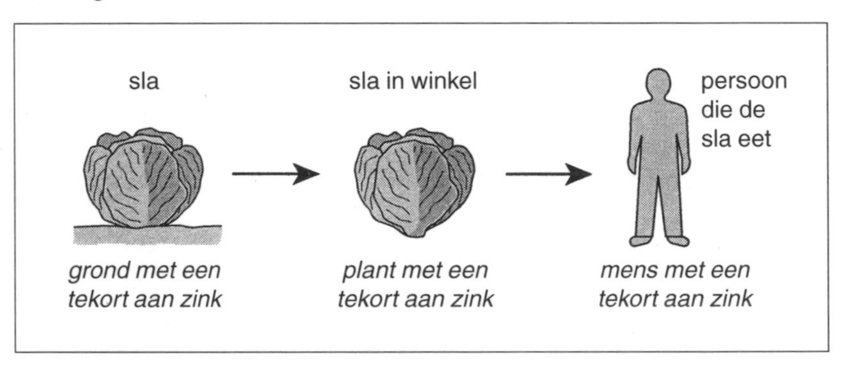

Afbeelding 12: Een tekort aan mineralen in de grond (bijv. zink) kan uw gezondheid aantasten

Deze afbeelding maakt duidelijk waar het om gaat. Ik gebruik dit voorbeeld ook wanneer ik mijn patiënten wil uitleggen waarom er bij hen sprake is van een tekort aan bepaalde voedingsstoffen. Een ander voorbeeld: uit een recente analyse van een monster sinaasappels bleek dat zij te verwaarlozen hoeveelheden vitamine C bevatten. Een nogal alarmerende ontdekking. Bij biologisch-dynamisch voedsel is de kans op dergelijke problemen veel kleiner. Ten eerste is de grond waarin dit voedsel wordt verbouwd niet door roofbouw ontdaan van al zijn kracht. Ten tweede worden alleen natuurlijke meststoffen, zoals gier, gebruikt om de grond vruchtbaar te maken.
Als u een voedingssupplement wilt gebruiken, kunt u het beste kiezen voor een multimineraal- of multivitaminepreparaat.

Vitamine C

Het was deze vitamine die mijn belangstelling voor voedingstherapie wekte. In het begin van de jaren '70 studeerde ik aan het Trinity College in Dublin. In die tijd deed de vakgroep Pathologie onderzoek naar het effect van virusinfecties op het gehalte aan vitamine C in witte bloedlichaampjes. Studenten kregen een geringe vergoeding – ik meen 1 pond –

als zij, wanneer zij verkouden waren, voor onderzoek wat bloed lieten aftappen. De uitkomsten van het onderzoek bevestigden de bevindingen van andere onderzoekers, namelijk dat vitamine C belangrijk is voor het goed functioneren van witte bloedlichaampjes.
De Nobelprijswinnaar dr. Linus Pauling verkondigde al jaren de boodschap inzake het belang van vitamine C; hijzelf nam er dagelijks hoge doses van in. De wetenschappelijke proeven die hij en andere onderzoekers verrichtten toonden aan dat mensen die dagelijks 200-1000 mg vitamine C tot zich namen minder vaak verkouden waren dan personen die een placebo (een nietwerkend tablet) kregen.
In 1965 leidde de Amerikaanse biochemicus Irwin Stone een onderzoek naar de biochemische effecten van vitamine C in het lichaam. Op basis van zijn bevindingen concludeerde hij dat de optimale dagelijkse toevoer van vitamine C voor de instandhouding van een goede gezondheid 1000-5000 mg bedraagt.
Zowel dr. Pauling als dr. Stone vonden het vreemd dat de Amerikaanse Academie van Wetenschappen voor mensen een hoeveelheid van 60 mg vitamine C per dag aanbeveelt, en voor apen die als laboratoriumdier worden gebruikt een hoeveelheid van 2000 mg per dag. Bekend is, dat een gorilla in het wild met zijn voedsel wel 5000 mg vitamine C per dag binnen krijgt. Het moge duidelijk zijn dat de mens veel meer vitamine C nodig heeft dan momenteel door officiële instanties wordt aanbevolen.
Een andere voorstander van het gebruik van voedingssupplementen is dr. Robert Cathcart, de orthopedisch chirurg die beroemd werd door zijn uitvinding van de kunstheup. Hij schrijft hoge doses vitamine C voor aan patiënten die lijden aan infecties. De resultaten zijn opmerkelijk. Hij heeft aangetoond dat het mogelijk is om infecties te bestrijden met uitsluitend hoge doses vitamine C, en niets anders.*
Dat vitamine C niet alleen een antivirale en antibacteriële werking heeft, maar ook de weerstand van het lichaam verhoogt is al vele malen wetenschappelijk bewezen. Vitamine C activeert de witte bloedlichaampjes, verhoogt de concentratie van antistoffen en activeert de thymusklier. Er is dan ook zowel bij het behandelen van infecties als bij het voorkómen van herhaling een belangrijke rol weggelegd voor vitamine C. Ik raad over het algemeen bij de behandeling van een bestaande infectie doses vitamine C van 8000-10.000 mg (of hoger) aan, en een lagere onderhoudsdosis van 2000-4000 mg om herhaling bij vatbare patiënten te voorkomen. Omdat deze vitamine niet wordt opgeslagen in het lichaam, hoeft men zich geen zorgen te maken dat een teveel hieraan het lichaam belast.

* Andere onderzoeken hebben aangetoond dat ernstige ziekten, zoals een door virussen veroorzaakte hersenvlies- of longontsteking, met succes kunnen worden behandeld door het uitsluitend gebruik van hoge doses vitamine C (Klenner, 1948 en 1951).

DAGELIJKSE BEHOEFTEN

De dagelijkse behoefte aan vitamine C verschilt per individu en varieert bovendien van dag tot dag. Als u gezond bent en u goed voelt, hebt u waarschijnlijk genoeg aan slechts 200 mg per dag. Maar als u blootstaat aan stress kan de behoefte oplopen tot 1000 mg. Als u bovendien lijdt aan een beginnende infectie kan uw dagelijkse behoefte zelfs nog groter zijn, soms wel 3000 mg. Aangetoond is, dat kinderen na een vaccinatie een veel grotere behoefte aan vitamine C hebben.
De behoefte van het lichaam aan vitamine C is groter in de volgende situaties: zwangerschap, stress, een operatie, infecties en trauma. Biochemici hebben vastgesteld dat de gemiddelde dagelijkse behoefte aan vitamine C tussen 1000 mg en 5000 mg bedraagt. Het lichaam weet zelf wat het nodig heeft, en ieder teveel wordt met de urine uitgescheiden.

HET BEWIJS – VITAMINE C WERKT

In 1977 maakte het Nationaal Kankerinstituut in de VS bekend dat 60% van de gevallen van kanker bij vrouwen en 40% van de gevallen van kanker bij mannen lijken samen te hangen met de voeding. Toch geeft hetzelfde instituut niet meer dan zo'n 1% van zijn budget uit aan voedingsonderzoek. Een bewijs temeer dat voeding in conventionele medische kringen van weinig belang wordt geacht bij het voorkómen en behandelen van kanker en andere ziekten. Het veronachtzamen van vitamine C is een voorbeeld van de heersende opvatting binnen de medische wereld, dat voeding geen rol speelt bij de medische behandeling.
Verscheidene onderzoeken hebben aangetoond dat mensen die lijden aan een infectie verlaagde concentraties vitamine C in het bloed hebben. Deze gehalten dalen nog meer naarmate de infectie zich ontwikkelt. Hoe ernstiger de infectie, des te lager het gehalte van vitamine C. Wetenschappelijk onderzoek heeft aangetoond dat het gebruik van vitamine C in hoge doses voorkomt dat de infectie verergert, de duur van de infectie verkort en de hevigheid van de ziekte vermindert (zie blz. 133, *Bibliografie*). Dr. Kalokerinos geeft in zijn boek *Every Second Child* enkele interessante voorbeelden van het grote belang van vitamine C.
In de jaren '60 constateerde dr. Kalokerinos, die toen in de binnenlanden van Australië werkte, dat veel aboriginal-kinderen en sommige blanke kinderen plotseling stierven aan ogenschijnlijk onschuldige aandoeningen, zoals een loopneus of een lichte verkoudheid. Hij veronderstelde dat deze kinderen, die stierven aan wat tegenwoordig wiegendood (*Sudden Infant Death Syndrome*) wordt genoemd, aan een gebrek aan vitamine C leden. Hij baseerde deze hypothese op zijn ruime ervaring als medicus. Veel doodzieke kinderen die niet reageerden op antibiotica of andere levensreddende medicijnen, herstelden plotseling wanneer zij vitamine C-injecties kregen. Dit gebeurde zo vaak dat hij al snel tot de conclusie

kwam dat deze kinderen aan scheurbuik leden. De medische wereld in Australië reageerde met ongeloof op zijn bevindingen. Vergeet niet dat de meeste artsen niet zijn opgeleid in het therapeutisch gebruik van vitaminen en mineralen.
Dr. Kalokerinos constateerde ook dat een op de twee aboriginal-kinderen stierf wanneer zij werden ingeënt tegen difterie, kinkhoest, tetanus en poliomyelitis. Hij had het idee dat deze kinderen een verlaagde weerstand hadden als gevolg van slechte voeding: zij aten veel bewerkt voedsel, witte suiker en witbrood, en aten nauwelijks vers fruit en verse groenten. Dr. Kalokerinos begon toen ieder kind dagelijks vitamine C in een dosis van 100 mg per levensmaand te geven: een drie maanden oud kind kreeg 300 mg per dag, een vier maanden oud kind 400 mg enzovoort. Toen zij daarna werden ingeënt, stierf geen van deze kinderen. Omdat zijn bevindingen door latere experimenten werden bevestigd, gebruiken veel artsen in verschillende delen van de wereld tegenwoordig dezelfde doses vitamine C rond de tijd van vaccinatie.
Als ouder kunt u uw kind beschermen tegen de mogelijk schadelijke gevolgen van vaccinatie, vooral met het niet onomstreden BMR-vaccin. Geef uw kind de hiervoor vermelde dosering vitamine C op de dag voor, de dag van en de dag na de vaccinatie. Dit geldt voor elk vaccin dat in de eerste twee levensjaren wordt toegediend. Gebruik voor grotere kinderen, vooral voor het BMR-vaccin, gedurende een langere periode hogere doses vitamine C.
De onderzoeken die door de jaren heen door dr. Linus Pauling zijn verricht hebben aangetoond dat vitamine C zowel een nuttige rol kan spelen bij de behandeling van virusinfecties, zoals verkoudheid, als bij bacteriële infecties. In een van zijn onderzoeken bleek dat een concentratie van 1 mg vitamine C per deciliter kweekvloeistof de groei van de bacterie die tuberculose veroorzaakt wist te voorkomen. In hogere concentraties (meer dan 1 mg per deciliter kweekvloeistof) neutraliseerde vitamine C de giftige stoffen die in verband worden gebracht met difterie, tetanus en door stafylokokken veroorzaakte infecties.
De rol van vitamine C bij de behandeling van kanker was het onderwerp van een conferentie, die in 1991 werd georganiseerd door het Nationaal Kankerinstituut in Amerika. Tijdens deze conferentie werden zowel artsen als patiënten ingelicht over de voordelen van het dagelijks innemen van vitamine C. De conferentie bracht een verandering in de medische wereld teweeg; artsen konden niet langer ontkennen dat voedingstherapie een belangrijk onderdeel kan zijn van de medische behandeling.

Hoe werkt vitamine C?

Vitamine C is essentieel voor de activiteit van witte bloedlichaampjes. Witte bloedlichaampjes zijn de soldaten van het lichaam: zij bieden weerstand tegen binnendringende ziekteverwekkers, zoals virussen, bacteriën

en schimmels. Met hoge concentraties vitamine C worden deze witte bloedlichaampjes veel actiever. Hun dodelijke werking wordt versterkt.
Er is inmiddels het nodige onderzoek verricht naar de rol die vitamine C speelt bij het verhogen van interferonspiegels (interferon is een antivirale stof die in het lichaam wordt geproduceerd), het verhogen van het gehalte aan antistoffen in het bloed en het verhogen van de activiteit van de thymus (een klier die een zeer belangrijke rol speelt in het immuunsysteem). Veel artsen en onderzoekers gebruiken zeer hoge doses vitamine C bij de behandeling van AIDS, kanker en andere ziekten waarbij het stimuleren van het immuunsysteem van essentieel belang is.
Vitamine C heeft dus een positief effect op verschillende delen van het immuunsysteem, wat het het lichaam gemakkelijker maakt om infecties te bestrijden.

De beste vorm van vitamine C

Grote doses vitamine C kunnen het beste worden ingenomen in de zure vorm, ascorbinezuur, omdat het dan het gemakkelijkst in het bloed wordt opgenomen. Puur ascorbinezuur heeft echter nogal een lage pH-waarde en kan daardoor de maag irriteren, vooral bij oudere mensen. In dergelijke gevallen kan beter de zout-, natrium- of calciumvariant worden gekozen. Houd er echter rekening mee dat de vitamine dan minder goed door het lichaam wordt opgenomen en dat er dus minder werkzame stof bij de witte bloedlichaampjes terecht komt. Een goed compromis is een verhouding van 50:50 van de zoute en de zure variant.
Bij het gebruik van doses groter dan 1000 mg per dag kan het beste worden gekozen voor vitamine C in poedervorm. Voor kleinere doses en doses voor kinderen voldoen de tabletten die verkrijgbaar zijn in de meeste drogisterijen en apotheken uitstekend.
Tijdens lezingen en cursussen wordt mij regelmatig gevraagd naar het risico van de vorming van nierstenen door het gebruik van zeer hoge doses vitamine C. Uit onderzoek dat hiernaar is verricht (Hoffer, 1985) blijkt dat dit risico zeer klein is. In feite moeten alleen mensen die aanleg hebben voor nierstenen voorzichtig zijn. In zo'n geval wordt aanbevolen om magnesium en pyridoxine te gebruiken om het risico van steenvorming te minimaliseren.

Andere voordelen van het gebruik van vitamine C

1. Het beschermt tegen artritis en andere degeneratieve ziekten

Vitamine C is een uitstekende anti-oxydans, dus het beschermt tegen het optreden van chronische degeneratieve ziekten, zoals artritis.

2. Het gaat astma tegen

Uit onderzoeken blijkt steeds vaker dat veel astmapatiënten een gebrek

aan vitamine C hebben. Een van de onderzoeken toonde aan dat een dosis van 500 mg vitamine C, ingenomen negentig minuten vóór lichamelijke inspanning, bij sommige patiënten bronchiale spasmen en piepende ademhaling verlicht.
Ook allergiepatiënten kunnen baat hebben bij vitamine C. Het voorkomt het vrijkomen van histamine (dat een rol speelt bij het ontstaan van allergische reacties) door het stabiliseren van het membraan van basofilen (een soort witte bloedlichaampjes). Kinderen en volwassenen die lijden aan astma en vatbaar zijn voor infecties doen er goed aan extra vitamine C in te nemen, omdat het infecties helpt voorkomen en allergische reacties vermindert. Hoewel ikzelf niet aan een van de hiervoor genoemde aandoeningen lijd, neem ik iedere dag 1000 mg vitamine C in.

3. Het voorkomt kanker
Veel onderzoek wordt momenteel gedaan naar de rol van vitamine C bij het voorkómen van kanker, vooral van maag en slokdarm. Vitamine C schijnt ook een beschermende werking te hebben tegen dysplasie (abnormale weefselgroei) in de baarmoederhals, wat vaak een voorbode is van baarmoederhalskanker. Uit onderzoek is gebleken dat vrouwen die minder dan 90 mg vitamine C per dag binnenkrijgen een 2- tot 5-maal zo grote kans lopen om deze pre-kankerachtige verandering in de baarmoederhals te ontwikkelen als vrouwen die meer dan 90 mg per dag tot zich nemen. Gelet op het aantal gevallen waarin deze aandoening zich manifesteert neemt blijkbaar zo'n 40% van de vrouwen in de VS minder dan 70 mg vitamine C tot zich. Recent onderzoek heeft dit verband tussen lage gehalten aan vitamine C in het bloed en dysplasie of kanker van de baarmoederhals bevestigd. Er zijn ook aanwijzingen dat vitamine C de groei van leukemiecellen in het lichaam kan remmen.
Tijdens zijn leven onderzocht en documenteerde Linus Pauling de nuttige rol van vitamine C bij het voorkómen van kanker en de positieve effecten die deze vitamine heeft bij het behandelen en voorkómen van infecties. De medische wereld heeft Paulings bevindingen tot nu toe consequent genegeerd en bagatelliseert nog altijd de rol die voeding en voedingssupplementen spelen bij de gezondheid van de mens. Hopelijk komt hier snel verandering in.

SAMENVATTING
Vitamine C kan een zeer belangrijke rol spelen bij het behandelen en voorkómen van infecties. Het stimuleert de activiteit van witte bloedlichaampjes en veel andere delen van het immuunsysteem. Ik adviseer voor preventieve doeleinden een dagelijkse dosis van 1000-2000 mg voor volwassenen, en iets lagere doses voor kinderen, afhankelijk van leeftijd en lichaamsgewicht. Ik adviseer ook het gebruik ervan bij kinde-

ren rond de tijd van vaccinatie en bij patiënten die lijden aan degeneratieve ziekten, zoals artritis en kanker. Vitamine C is vooral voor kinderen en volwassenen met allergische aandoeningen als astma belangrijk.

Zink – een essentieel spoorelement

Naast eiwitten, vetten en koolhydraten zijn ook mineralen van essentieel belang voor een uitgebalanceerde voeding. De mineralen die ons lichaam nodig heeft zijn in twee groepen onder te verdelen: de mineralen waarvan we dagelijks hoeveelheden groter dan 100 mg tot ons moeten nemen en de mineralen waarvan we veel kleinere hoeveelheden dan 100 mg per dag moeten opnemen. Deze laatste groep van mineralen, waartoe onder andere ook zink behoort, noemen we spoorelementen.
Mijn ervaring als arts heeft mij geleerd dat tekorten aan spoorelementen veel vaker voorkomen dan tekorten aan vitaminen. Dit met uitzondering van vitamine C, waaraan de meeste mensen een zeker tekort hebben. Van de tekorten aan spoorelementen komt tekort aan zink het meest voor. Zink is ook het meest onderzocht door medisch-wetenschappers vanwege de rol die het speelt bij infecties en immuniteit.
Tot de groepen bij wie tekorten aan mineralen en spoorelementen zich het meeste voordoen behoren: ouderen, zwangere vrouwen, vegetariërs, patiënten die bepaalde medicijnen gebruiken (bijv. urinedrijvende middelen), patiënten met darmproblemen (vooral wanneer de opname van voedingsstoffen gestoord is, zoals in coeliakie, of wanneer er darmparasieten zijn) en patiënten die intraveneus worden gevoed.
In mijn eigen praktijk vertoont een aantal kinderen marginale zinktekorten. Het gaat hierbij vooral om kinderen die lijden aan telkens terugkerende infecties. Sommigen hebben te kampen met een substantieel zinktekort, ondanks het feit dat zij gezond eten en hun voeding evenwichtig is samengesteld. Zelfs een beperkt zinktekort kan verstrekkende gevolgen hebben voor de gezondheid. Dat komt doordat meer dan tweehonderd enzymen zonder dit spoorelement niet goed kunnen functioneren. Zink is nu eenmaal nodig voor veel chemische reacties in het lichaam. Een tekort aan zink kan een groot aantal lichaamsfuncties negatief beïnvloeden.
Symptomen van zinktekort zijn: vertraagde groei, slechte eetlust, een algeheel gevoel van malaise, slecht functioneren van de geslachtsklieren en verhoogde vatbaarheid voor infecties. Als uw kind een slechte eetlust heeft, houd dan altijd rekening met een zinktekort.

Zink en het immuunsysteem

Vast staat, dat zink een belangrijke rol speelt bij het beschermen van het immuunsysteem en het bestrijden van ziekteverwekkers. Het is onomstotelijk bewezen dat zink een cruciale rol vervult voor de immuniteitsfunc-

tie van de witte bloedlichaampjes. Een goed voorbeeld hiervan is het Fries-Hollands rundvee (de mutante soort A46). Deze soort kampt met een gebrek in de opname van zink. Deze runderen hebben een verhoogde vatbaarheid voor infecties en sterven in de regel jong. Gebleken is dat de immuniteitsfunctie van hun witte bloedlichaampjes tekort schiet. Dit kan worden behandeld met zinksupplementen.
Bij de mens komt een vergelijkbare, maar gelukkig zeldzame aandoening voor, genaamd *Acrodermatitis enteropathica*. Mensen die aan deze ziekte lijden zijn ook vatbaar voor infecties en sterven meestal op jonge leeftijd. Ook deze ziekte kan worden behandeld met zink. Bij deze patiënten functioneren de witte bloedlichaampjes en andere delen van het immuunsysteem niet goed.
Onderzoeken onder patiënten boven de zeventig jaar, een groep met een verhoogd risico van telkens terugkerende infecties, tonen een duidelijke vermindering van het aantal T-lymfocyten, die infecties bestrijden, aan. Aangenomen wordt, dat de verzwakking van het immuunsysteem als ouderdomsverschijnsel mede wordt veroorzaakt door de lagere gehalten aan zink. Uit ander onderzoek is gebleken dat AIDS-patiënten vergeleken met een controlegroep een duidelijk lager zinkgehalte in het bloed hebben. Dit zou kunnen betekenen dat zinksupplementatie een rol kan spelen bij de behandeling van deze patiënten.

Bronnen van zink

De door voedingsdeskundigen aanbevolen dagelijkse hoeveelheid zink bedraagt 15 mg voor volwassenen en 10 mg voor kinderen. Voedingsmiddelen met een hoog gehalte aan zink zijn: volkorenproducten, peulvruchten en vlees. Ook oesters bevatten veel zink.
Ons vermogen om zink op te nemen vermindert met het klimmen der jaren. Ook vezels, ijzer en calcium verminderen de hoeveelheid zink die wij kunnen opnemen. Te veel vezelrijk voedsel kan de opname van zink door de darmwand in de bloedbaan verstoren. Te veel ijzer en calcium in de voeding kunnen met zink strijden om opname door de darmwand en daardoor een tekort aan zink in het lichaam veroorzaken.
Ik adviseer een minimum hoeveelheid van 10-15 mg per dag voor kinderen en een dubbele dosis voor volwassenen, vooral bij telkens terugkerende infecties. Dit is meer dan de ADH*, maar het is nodig als men het tekort snel wil aanvullen en infecties wil tegengaan. Normaal gesproken adviseer ik het gebruik van een zinksupplement gedurende een periode van drie maanden, waarna ik de situatie opnieuw beoordeel.

* ADH: Aanbevolen Dagelijkse Hoeveelheid, zoals die door voedingsdeskundigen is gedefinieerd.

ZIJN ZINKSUPPLEMENTEN VEILIG?
Het gebruik van zinksupplementen in lage doses heeft geen schadelijke effecten. Zeer grote doses zink, in de orde van 300 mg per dag, kunnen echter een negatief effect hebben op het immuunsysteem. Een juiste dosering is dan ook van groot belang. Een onderzoek onder elf mannen, die zes weken lang tweemaal per dag 150 mg zink innamen, toonde een duidelijke verzwakking van het immuunsysteem aan (Chandra, 1984). Omdat zink met koper strijdt om opname door de darmwand, kunnen hoge doses zink een tekort aan koper veroorzaken. Daarom is het verstandig om bij gebruik van een zinksupplement in een hoge dosis (d.w.z. meer dan de dosis die ik hiervoor heb aanbevolen), ook een kopersupplement in te nemen. Een koperdosering van eentiende van de zinkdosering moet voldoende zijn. Met andere woorden: gebruikt u 50 mg zink per dag, gebruik dan tevens 5 mg koper.

SAMENVATTING
Zink speelt een belangrijke rol bij veel chemische reacties in het lichaam. Zelfs een gering tekort kan een duidelijk effect hebben, vooral op het immuunsysteem. Onderzoek heeft aangetoond dat zink kan helpen bij het beschermen van het immuunsysteem en het bestrijden van ziekten, vooral virusinfecties die niet reageren op conventionele medicijnen.
Voedingsmiddelen met een hoog gehalte aan zink zijn: oesters, volkorenproducten en peulvruchten. Het gebruik van zinksupplementen wordt aanbevolen aan mensen die vatbaar zijn voor infecties. Zeer hoge doses, d.w.z. meer dan 50 mg per dag, moeten echter worden ontraden.

Persoonlijke opmerking
Tijdens mijn jarenlang verblijf in Afrika heb ik talloze kinderen behandeld die leden aan infecties, ernstige en minder ernstige. Het viel mij op dat bij veel van deze kinderen ook de leverfunctie gestoord was. Ik vermoedde dat deze leverfunctiestoornis werd veroorzaakt door een virusinfectie, omdat er virussen zijn die de lymfklieren, lever en milt kunnen aantasten. (Een goed voorbeeld hiervan is het Epstein-Barr virus, dat vermoedelijk ook een rol speelt bij de ziekte van Pfeiffer.) Zelfs nadat zij waren hersteld, bleef bij sommige van deze kinderen de leverfunctie gestoord.
De afgelopen vijf jaar heb ik in mijn praktijk in Ierland vele kinderen behandeld die leden aan allergieën, suikerziekte, telkens terugkerende infecties en astma. Ook bij een aantal van deze kinderen heb ik leverfunctiestoornissen aangetroffen, maar veel minder vaak dan bij de Afrikaanse kinderen. Na hun herstel had de leverfunctiestoornis bij de kinderen in Ierland echter hetzelfde hardnekkige karakter. Omdat ik vermoedde dat

het om een virale aandoening ging, gebruikte ik antivirale geneesmiddelen. Ik had inmiddels een paar trucjes geleerd voor het behandelen van virusinfecties, het stimuleren van het immuunsysteem en het activeren van het zelfgenezend vermogen van de lever. Tot mijn verbazing werkte mijn behandeling niet.
Ik besloot toen melkdistel (*Silybum marianum*), een fantastisch kruid, te gebruiken om de leverfunctie te ondersteunen. Heel vaak werkte ook dit niet, hoewel het in een paar gevallen wel effect had. Ik had hier geen verklaring voor en stopte dus met het gebruik van melkdistel.
Toen las ik dr. Kalokerinos' boek *Every Second Child*, waarin hij zijn ervaringen beschrijft bij het behandelen van aboriginal-kinderen die leden aan tekorten aan vitamine C. Dr. Kalokerinos bracht me op het idee dat het probleem dat ik niet kon oplossen wel eens te wijten zou kunnen zijn aan zinktekort. Hieronder volgt wat mij tot deze conclusie bracht.
Dr. Kalokerinos had bij veel zieke kinderen die naar zijn ziekenhuis werden gebracht en daar stierven aan ogenschijnlijk ongevaarlijke infecties een gestoorde leverfunctie geconstateerd. Autopsies brachten aan het licht dat alle organen gezond waren, behalve de lever, die gele vetvlekken op het oppervlak vertoonde. Ook bij de meeste gevallen van wiegendood (*Sudden Infant Death Syndrome*) kon de patholoog-anatoom niets verkeerds ontdekken. Dr. Kalokerinos moest vele jaren wachten op een verklaring. Deze kwam uit een zeer onverwachte hoek, en wel van een professor in de anorganische scheikunde aan de universiteit van Sydney.
Professor Freeman was geïnteresseerd in de rol die zink speelt bij de chemische processen in het lichaam. Hij veronderstelde dat, omdat veel leverenzymen zink nodig hebben om goed te functioneren, een tekort aan zink leverfunctiestoornissen zou kunnen veroorzaken en de lever vatbaar kon maken voor vervetting: de gele vetafzettingen die tijdens de lijkschouwing werden aangetroffen!
Ik was erg opgewonden toen ik dit las, omdat het de eerste keer was dat ik een mogelijke verklaring voor mijn waarnemingen tegenkwam. Het sluitend bewijs is nog niet geleverd, maar sinds dat moment behoort het voorschrijven van een zinksupplement tot mijn standaardbehandeling voor deze kinderen. Ik hoop dat er de komende jaren positieve resultaten gemeld zullen kunnen worden. Dank u wel, dr. Kalokerinos!
Het is duidelijk dat er nog veel onderzoek moet worden gedaan naar de effecten van tekorten aan vitamine C en zink. Omdat deze tekorten veel voorkomen verdient dit onderzoek naar mijn mening steun van de overheid en dient hierover ook een uitgebreide voorlichtingscampagne te worden gevoerd.
Ik hoop dat dit hoofdstuk u overtuigd heeft van het belang van vitamine- en mineraalsupplementen, vooral als u vatbaar bent voor infecties. Be-

denk, dat voedingssupplementen voor veel mensen over de hele wereld een zaak van leven of dood kunnen zijn, zoals dr. Kalokerinos' bevindingen aantonen. Onderschat nooit het belang van voeding en voedingssupplementen voor het behoud van een goede gezondheid.

10. De rol van stress

'Het lichaam is de spiegel van de geest'

Stress en infecties
Met stress samenhangende ziekten hebben in de westerse wereld inmiddels epidemische vormen aangenomen. In Afrika, vooral in landelijke gebieden, zijn zij vrijwel onbekend. Hoge bloeddruk en hartziekten (hartkramp en hartaanval) komen in het westen veel voor, maar worden onder de zwarte plattelandsbevolking van zuidelijk Afrika zelden aangetroffen. Zodra deze mensen echter naar de steden trekken, beginnen ook zij tekenen van verhoogde bloeddruk en hartziekten te vertonen. Dit lijkt erop te wijzen dat de stress van het hedendaagse leven schadelijke effecten heeft op het lichaam.
In de jaren '20 deed professor Hans Selye van de universiteit van Praag onderzoek naar de negatieve effecten van stress op het lichaam. Hij stelde na jarenlang onderzoek het volgende model op, dat inzichtelijk maakt hoe chronische stress onze gezondheid kan beïnvloeden.

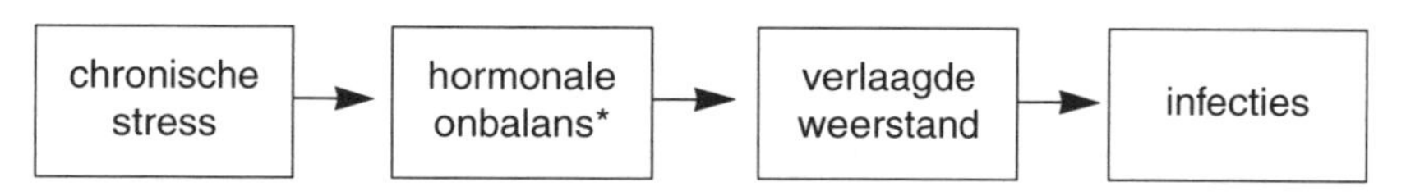

Afbeelding 13

Professor Selye veronderstelde dat stress het endocriene of hormonale stelsel van het lichaam uit zijn evenwicht kan brengen, wat op zijn beurt weer het immuunsysteem kan verzwakken. Deze theorie is onlangs bevestigd door andere medisch-wetenschappelijk onderzoekers. Dr. Carl Simonton bijvoorbeeld, die faam verwierf vanwege zijn pionierswerk met kankerpatiënten, veronderstelde dat een groot aantal van deze patiënten voorafgaand aan het zich openbaren van kanker een periode van chronische stress had doorgemaakt. Simonton suggereerde dat stress een verzwakking van het immuunsysteem veroorzaakt en daarmee kanker de kans geeft zich te ontwikkelen.

Stress zet de bijnieren aan tot afscheiding van hormonen en veroorzaakt daarmee een stijging van de gehalten aan adrenaline en cortison in het lichaam. Deze hormonen kunnen de activiteit van de witte bloedlichaam-

* Als ik spreek over hormonale onbalans, heb ik het over het hele endocriene stelsel, inclusief de hypothalamus, hypofyse, schildklier, thymusklier, bijnieren, alvleesklier, eierstokken en teelballen.

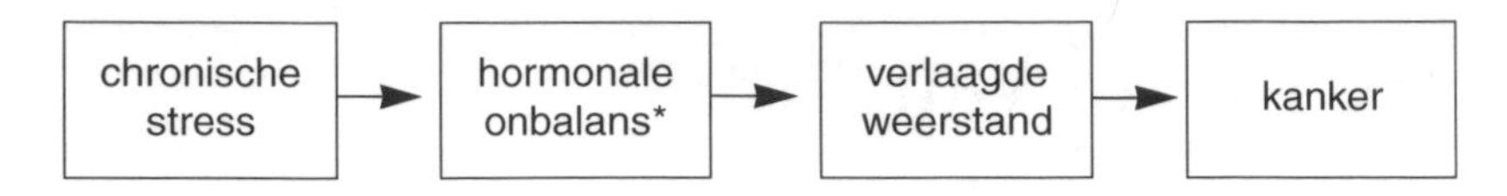

Afbeelding 14

pjes remmen en de thymusklier (deel van het immuunsysteem) doen verschrompelen. Dit lijkt het mechanisme te zijn waarmee stress de immuniteit beïnvloedt. De mate van verzwakking van het immuunsysteem is evenredig aan de duur en de mate van de stress. Diepe ontspanning heeft daarentegen juist een positief effect op het immuunsysteem. Wetenschappelijk onderzoek heeft aangetoond dat tijdens perioden van diepe slaap krachtige immuniteitsversterkende chemische stoffen in het lichaam worden afgescheiden (Moldofsky e.a., 1986). Dit bevestigt wat ons gezonde verstand ons zegt – dat diepe ontspanning en goede slaap de immuniteit kunnen versterken en op die manier de effecten van stress kunnen tegengaan.
Het ligt voor de hand dat chronische stress, door het negatieve effect ervan op het immuunsysteem, kan resulteren in een verhoogde vatbaarheid voor infecties en de ontwikkeling van kanker. Vandaar dat het belangrijk is bij patiënten – ook kinderen – die lijden aan telkens terugkerende infecties, na te gaan of er sprake is van stress. Het volgende praktijkvoorbeeld illustreert de sterke samenhang tussen emotionele stress en telkens terugkerende astmatische aanvallen.

PRAKTIJKVOORBEELD 10 – **André: ernstige astma**

Toen ik in Zuid-Afrika André voor het eerst ontmoette was hij een jongeman van tweeëntwintig jaar. Hij was in zes maanden tijd tien keer in het ziekenhuis opgenomen vanwege ernstige astma. Zo ernstig zelfs, dat hij twee keer op de eerstehulp-afdeling moest worden gereanimeerd.
Toen André bij me kwam, waren er twee dingen die mij verontrustten. Ten eerste de hoeveelheid en de hoge dosering medicijnen die hij innam om de astmatische aanvallen onder controle te houden. Ten tweede het aantal ziekenhuisopnamen. Deze jongeman had duidelijk problemen, maar die waren niet alleen lichamelijk van aard. André was zich toen ik hem ondervroeg niet bewust van het feit dat ernstige emotionele stress zijn leven beheerste. Het ware verhaal hoorde ik later van zijn adoptiefmoeder. André was, voordat hij geadopteerd werd, door zijn biologische ouders ernstig mishandeld. Hij en zijn broers en zussen werden vaak dagenlang in kasten opgesloten. Zij kregen geen eten, werden geslagen en er werden sigarettenpeuken op hen uitgedrukt. Uiteindelijk greep de kinderbescherming in en werden de kinderen in een kindertehuis ondergebracht.
Omdat André in die tijd nog erg jong was, kon hij zich niet veel meer van deze gebeurtenissen herinneren; maar de informatie lag wel opgeslagen in zijn onderbewustzijn.

Dat resulteerde in een bepaald gedragspatroon wanneer er zich moeilijkheden in de omgang met anderen voordeden, zoals bijvoorbeeld ruzie met zijn vriendin. In zo'n situatie kwamen er vanuit zijn onderbewustzijn herinneringen over de ervaringen in zijn jeugd en de relatie met zijn biologische ouders naar boven. De herinnering aan zijn traumatische ervaringen resulteerde dan in een schreeuw om hulp in de vorm van een astmatische aanval. Toen zijn adoptiefmoeder de astmatische aanvallen poogde te beschrijven schetste zij het beeld van een 'doodsverlangen' van iemand die het zo moeilijk vindt met emotionele pijn om te gaan, dat hij het liefst zou willen sterven.
Toen ik doorvroeg bleek dat alle ernstige astmatische aanvallen van André volgden op ruzie of onenigheid met iemand van wie hij hield: zijn vriendin, zijn adoptiefmoeder of -vader. Iedere bedreiging van deze relaties werd als levensbedreigend ervaren. André had misschien wel baat bij het gebruik van geneesmiddelen voor zijn lichamelijke klachten, maar het was duidelijk dat hij eigenlijk vooral geestelijke hulp nodig had. Gelukkig is hij nu onder behandeling bij een klinisch psycholoog. De afgelopen anderhalf jaar heeft hij geen ziekenhuis meer van binnen gezien, en we hebben het gebruik van conventionele geneesmiddelen kunnen verminderen. Alleen dieetadviezen, homeopathie, geneeskrachtige kruiden, vitaminen of conventionele medicijnen zouden Andrés problemen nooit hebben kunnen oplossen.

Dit voorbeeld maakt duidelijk dat de wisselwerking tussen geest en lichaam niet mag worden onderschat. Het toont ook de beperkingen van de klinische geneeskunde met haar benadering van de mens als alleen een stoffelijk lichaam met lichamelijke symptomen. Dit was precies wat er iedere keer dat André in het ziekenhuis werd opgenomen gebeurde.
In het ziekenhuis krijgt iedereen met astma dezelfde behandeling, ondanks het feit dat geen twee mensen hetzelfde zijn. Ieder mens is uniek. De behandeling moet daarom op maat gesneden zijn. Het is niet goed als de patiënt wordt behandeld volgens een op de medische faculteit onderwezen standaardmodel. Ook wanneer twee mensen dezelfde diagnose hebben, hebben zij misschien verschillende behandelingen nodig om beter te worden. Luisteren en observeren zijn voor de arts bij het stellen van de diagnose onmisbare gereedschappen. Zij zijn niet alleen de sleutel tot de diagnose, maar ook tot het opstellen van een behandelprogramma voor de individuele patiënt.
Dit praktijkvoorbeeld toont duidelijk het verband aan tussen de gemoedstoestand en de lichamelijke gezondheid. Maar kan emotionele of psychische stress iemand ook vatbaar maken infecties?

Stress en verkoudheid

Experimenten die in de jaren '70 aan de universiteit van Oxford werden verricht toonden duidelijk aan dat mensen die blootstaan aan stress, zoals managers die voortdurend onder hoge druk werken, veel vatbaarder zijn voor verkoudheden dan mensen waarvoor dit niet geldt.
Ander onderzoek, verricht aan de Carnegie Mellon universiteit in de VS,

toonde aan dat van de personen die in aanraking werden gebracht met een van de vijf verkoudheidsvirussen, 47% van degenen die aan veel stress blootstonden ziek werd, terwijl slechts 27% van degenen die nauwelijks aan stress blootstonden ziek werd. De artsen die dit onderzoek leidden suggereerden dat '... stress leidt tot een onderdrukking van de immuniteitsreacties van het lichaam ... en dat personen daardoor vatbaar worden voor infectieuze stoffen' (Cohen e.a., 1991).
Veel andere onderzoeken bevestigen de theorie dat stress gepaard gaat met een onderdrukking van verschillende immuniteitsreacties. Hoe gebeurt dit? Het blijkt dat de bijnieren bij aanhoudende stress doorgaan met het produceren van adrenaline en cortison. Een aanhoudend hoge productie van cortison kan leiden tot vernietiging van de T-lymfocyten in de thymus (de belangrijkste klier van het immuunsysteem). Men neemt aan dat deze onderdrukking van de thymusklier de mens vatbaar kan maken voor infecties.

Stress en de psychische gesteldheid

Waarom worden sommige mensen die aan veel stress blootstaan ziek, en anderen niet? In het hiervoor genoemde onderzoek van dr. Cohen werd 47% van de mensen die blootstonden aan veel stress ziek – maar hoe zat het met de 53% die gezond bleef? Zowel psychologen als medische wetenschappers hebben gezocht naar de oorzaken van het feit dat mensen *geen* infecties krijgen hoewel zij blootgesteld zijn geweest aan een virus of bacterie. De resultaten van dit interessante onderzoek bevestigen de theorie dat de lichamelijke gesteldheid vaak een weerspiegeling is van de innerlijke gesteldheid.
De samenhang tussen psychische gesteldheid en immuniteit is talloze malen wetenschappelijk onderzocht. In 1989 schreven dr. D. Sobel en dr. R. Ornstein een boek, getiteld *Healthy Pleasures*, waarin zij de resultaten beschreven van hun onderzoek onder twee groepen mensen, pessimisten en optimisten. Zij leverden het wetenschappelijk bewijs dat het immuunsysteem van optimisten beter functioneert dan dat van pessimisten. Optimisten blijken grotere aantallen van de soort T-lymfocyten te bezitten die het immuunsysteem stimuleren dan van een andere soort, die het immuunsysteem verzwakken. De bloedcellen die het immuunsysteem stimuleren worden *hulpcellen* genoemd, terwijl de cellen die de immuniteitsreactie onderdrukken *onderdrukkerscellen* worden genoemd. Hoe groter het aantal hulpcellen, hoe beter de weerstand tegen infectie is. Het is interessant te zien dat de psychische gesteldheid de lichamelijke reactie op infecties kan beïnvloeden.

Stress en de gemoedstoestand

Uit onderzoek naar de wijze waarop de gemoedstoestand van de mens

zijn reactie op stress beïnvloedt is gebleken, dat *woede* tot de krachtigste onderdrukkers van de immuniteitsreactie behoort. Woede maakt de mens niet alleen vatbaar voor infecties, maar ook voor een groot aantal andere ziekten (Angier, 1990).
Dr. Mara Julius van de universiteit van Michigan onderzocht gedurende een periode van achttien jaar de effecten van diepgewortelde woede op de gezondheid van vrouwen. Alle vrouwen moesten een vragenlijst invullen, die speciaal was ontworpen om opgekropte woede op te sporen. De meest verrassende uitkomst van dit onderzoek was het feit dat vrouwen die hoog scoorden, dat wil zeggen: zij met een hoge mate van boosheid, drie keer zoveel kans hadden om gedurende de onderzoeksperiode (achttien jaar) te overlijden als zij die weinig of geen opgekropte woede hadden. Recente onderzoeken tonen aan dat woede een vroege dood, hartziekten en een groot aantal andere problemen in de hand kan werken. In het boek *Beyond Antibiotics* stellen dr. Michael Schmidt e.a.: 'Woede en vijandige gevoelens knagen aan de substantie van de menselijke psyche. Deze emoties kweken een atmosfeer van negativiteit die een verstikkende werking heeft op iedere menselijke inspanning. Onderzoekers tonen steeds vaker een verband aan tussen woede, vijandige gevoelens en cynisme, en de ontwikkeling van ziekte en vroegtijdige dood.'
Iedereen die heeft deelgenomen aan mijn workshops over stress kent mijn opvattingen over de rol die boosheid en angst bij ziekte van de mens spelen. In mijn praktijk heb ik een zeer nauw verband geconstateerd tussen een slechte gezondheid en de gemoedstoestand. Naar mijn mening is onderdrukte boosheid het grootste obstakel voor een goede gezondheid. Ik kom dit obstakel dagelijks tegen. Zowel in Ierland als in Zuid-Afrika, de twee landen waar ik het grootste deel van mijn leven heb doorgebracht, zie ik onderdrukte boosheid als het belangrijkste obstakel, niet alleen voor de lichamelijke gezondheid, maar ook voor de groei en ontwikkeling als mens.
In Ierland komen mishandeling en seksueel misbruik onrustbarend vaak voor. Ikzelf heb als kind de intense boosheid van 'godvruchtige' mannen als priesters en broeders van de christelijke scholen aan den lijve ondervonden. Ik was elke dag doodsbang om naar school te gaan. Maar dat is niets vergeleken bij de verhalen die ik de afgelopen paar jaar van mijn patiënten heb gehoord. Ik herinner me een patiënte die zich niets van haar jeugd – vanaf haar vroegste jeugd tot de leeftijd van zestien jaar – kon herinneren. Maar dan ook niets! Zij kon zich niets leuks herinneren en niets verdrietigs, niets! Door middel van therapie werd duidelijk dat zij zo lang en zo ernstig was mishandeld, dat de enige manier om hiermee om te gaan was te doen alsof het niet gebeurd was. Ik heb nog steeds bewondering voor de moed waarmee deze vrouw de pijn toen onder ogen durfde te zien en ermee omging.

In Zuid-Afrika constateerde ik een veel grotere mate van onderdrukte boosheid onder de blanke bevolking dan onder de zwarte bevolking, ondanks het feit dat de zwarte bevolking in de recente geschiedenis veel meer heeft geleden. Volgens mij heeft dat veel te maken met de verschillende sociale steunstructuren binnen deze twee bevolkingsgroepen. In de zwarte gemeenschap worden problemen gedeeld binnen de uitgebreide kring van familieleden (de 'extended family'). In tegenstelling hiermee worden problemen in het in de blanke gemeenschap vaak voorkomende eenoudergezin zelden besproken (Zuid-Afrika heeft een van de hoogste echtscheidingscijfers ter wereld).
Ik ben ervan overtuigd dat men zichzelf de grootste dienst bewijst die maar denkbaar is als men zijn boosheid durft te uiten. Dit komt niet alleen het immuunsysteem ten goede, maar ook de algehele gezondheidstoestand en de relaties met anderen. In het eerder in dit hoofdstuk beschreven praktijkvoorbeeld 10 had André een enorme boosheid die zich richtte op zijn biologische ouders. Alleen door deze boosheid te uiten was hij in staat om de vicieuze cirkel van ziekenhuisopnamen waarvoor hij in eerste instantie bij mij kwam, te doorbreken. Ik zou veel andere vergelijkbare voorbeelden kunnen vermelden, maar het volstaat om te zeggen dat u *nooit de rol van uw emoties mag onderschatten bij het vaststellen van uw lichamelijke gezondheid.*
Negatieve gevoelens hebben krachtige effecten op het lichaam, vooral op het immuunsysteem. Een niet goed functionerend immuunsysteem kan resulteren in ernstige infecties, auto-immuunziekten, kanker en vroegtijdige dood.

SAMENVATTING
Stress kan invloed hebben op het immuunsysteem, waardoor telkens terugkerende infecties de kans krijgen zich te ontwikkelen. Zeer effectieve manieren om stress tegen te gaan zijn: diepe ontspanning, meditatie, goede nachtrust, niet te vergeten een gezonde voeding en, indien nodig, de juiste voedingssupplementen.

Bescherming tegen stress
In de hedendaagse maatschappij gaan veel mensen gebukt onder allerlei vormen van chronische stress: werkdruk, onenigheid met de partner, financiële problemen, de dagelijkse files enz. Het is belangrijk om u bewust te worden van de verschillende vormen van stress in uw leven en de effecten ervan op uw gezondheid. De stress-test van Holmes en Rahe is een populaire methode om stress te meten. Hoewel hij niet allesomvattend is, is het toch nuttig om deze test te doen, omdat hij globaal de mate van stress aangeeft die u op enig moment ervaart. Hij heeft alleen betrekking op de *sociale* aspecten van uw leven.

De stress-test van Holmes en Rahe
– de twintig belangrijkste gebeurtenissen

nummer	*gebeurtenis in het leven*	*punten*
1	dood van de levenspartner	100
2	echtscheiding	73
3	scheiding van tafel en bed	65
4	gevangenisstraf	63
5	dood van een naaste verwant	63
6	ziekte of ongeval	53
7	huwelijk	50
8	verlies van betrekking	47
9	verzoening met de levenspartner	45
10	pensionering	45
11	ziekte van een gezinslid	44
12	zwangerschap	40
13	seksuele problemen	39
14	geboorte van een kind	39
15	belangrijke veranderingen op het werk	39
16	verandering in financiële positie	38
17	dood van een goede vriend	37
18	verandering van betrekking	36
19	onenigheid met de levenspartner	35
20	hoge hypotheek	31

De verschillende gebeurtenissen zijn gerangschikt op grond van hun potentie om ziekte te veroorzaken. Een puntentotaal van 200 of meer moet worden gezien als een serieuze waarschuwing voor het krijgen van een ernstige ziekte.
Naast het leren van vaardigheden om stresssituaties het hoofd te bieden, zo nodig met de hulp van een professionele therapeut, zijn er nog meer dingen die u kunt doen om uw lichaam te helpen om te gaan met stress. Deze worden hierna besproken onder de kopjes lichaamsbeweging, ontspanning, ondersteuning van de bijnieren en ginseng.

HET BELANG VAN LICHAAMSBEWEGING

Regelmatige lichaamsbeweging verbetert het vermogen om met stress om te gaan door het:

- verbeteren van de hartfunctie – lichaamsbeweging verlaagt de hartslag, verbetert de spankracht van de hartspier en verlaagt de bloeddruk;
- verlagen van de productie van adrenaline en cortison door de bijnieren als reactie op stress;

- verbeteren van de zuurstofopname van alle cellen in het lichaam;
- versterken van het zelfvertrouwen en het gevoel van welbevinden;
- versterken van de vitaliteit.

HET BELANG VAN ONTSPANNING

Diepe ontspanning is een van de meest effectieve maatregelen tegen stress. U weet zelf het beste welke vorm van ontspanning voor u het meest effectief is. Dit kan variëren van meditatie, ontspanningsoefeningen, zelfhypnose, visualisering en yoga tot vissen, lezen en dansen. Doe datgene waarbij u zich het prettigst voelt.
Tijdens diepe ontspanning doen zich in uw lichaam de volgende fysiologische veranderingen voor:

- een verlaagde hartslag en lagere bloeddruk;
- een beter transport van het bloed vanuit de periferie naar de inwendige organen;
- een verminderde zweetproductie;
- een betere spijsvertering als gevolg van verhoogde afscheiding van spijsverteringssappen;
- een diepere, minder gejaagde ademhaling.

ONDERSTEUNING VAN DE BIJNIEREN

Omdat chronische stress een aanhoudende overproductie van adrenaline en cortison door de bijnieren tot gevolg heeft, kunnen deze klieren uitgeput raken en verschrompelen of atrofiëren. Schade aan de bijnieren kan worden voorkomen door voedingssupplementen van kalium, vitamine B_5, vitamine B_6, vitamine C, zink en magnesium. Voor de ondersteuning van de bijnieren zijn vooral kalium en vitamine B_5 van belang. In onderstaande tabel vindt u enkele voedingsmiddelen die rijk zijn aan deze twee stoffen.

Kalium	*Vitamine B_5*
avocado	*volkorenproducten*
aardappel	*peulvruchten*
tomaat (rauw)	*bloemkool*
banaan	*broccoli*
meloen	*tomaat (rauw)*
vis	*lever*

GINSENG

Ginseng beschermt het lichaam tegen de schadelijke effecten van stress en beschermt tegen lichamelijke en geestelijke vermoeidheid. Het is het beste kruid dat men kan gebruiken om de bijnierfunctie te ondersteunen. Uit veel onderzoeken is gebleken dat ginseng de weerstand tegen stress verhoogt en dat dit kruid, door het verbeteren van de lichamelijke en geestelijke prestaties, kan helpen in situaties waarin men blootstaat aan veel stress. Ginseng kan worden ingenomen in de vorm van een kruidentinctuur (een vloeibaar extract), in droge vorm of in homeopathische vorm. Ik gebruik het liefst de gedroogde wortel die ik, in poedervorm, combineer met zoethout om de opname in het bloed te bevorderen. Doe ¼ theelepel fijngestampte ginsengwortel met een zelfde hoeveelheid zoethout in een kopje water. Breng dit mengsel aan de kook en laat het tien minuten pruttelen. Drink het twee- of driemaal per dag.

SAMENVATTING

Om uw lichaam te beschermen tegen de schadelijke effecten van stress moet u voldoende lichaamsbeweging nemen, zorgen voor perioden van ontspanning en natuurlijke stoffen gebruiken om de bijnieren te ondersteunen. Hiertoe behoren een goed vitamine- en mineraalsupplement en het kruid ginseng.

PRAKTIJKVOORBEELD 11 – **John: pijn aan de sluitspier van de anus**

John werkte als effectenmakelaar in het buitenland en was voor een kort bezoek terug in Ierland. Hij kwam naar me toe en klaagde over een gespannen gevoel en pijn aan de sluitspier van de anus. Hierdoor had hij last van een moeilijke stoelgang. Het probleem werd steeds erger en hij maakte zich er nogal ongerust over. John had gemerkt dat de klachten verdwenen wanneer hij op vakantie was. De laatste tijd had hij ook een aantal malen per dag last van hartkloppingen, die dan een minuut of twee aanhielden. Hij omschreef zijn baan als zeer stressvol, omdat hij voortdurend verscheidene dingen tegelijk moest doen. Hij moest ook een flinke afstand naar en van zijn werk afleggen en was al met al meer dan dertien uur per dag van huis.

Ik legde hem uit dat de spiervezels in de darmwand en de sluitspier van de anus onderworpen zijn aan het autonome (= onwillekeurige) deel van het zenuwstelsel. Ik vertelde hem ook het een en ander over de werking van de bijnieren: dat de adrenaline die zij afscheiden de hartslag en de bloeddruk verhoogt en de peristaltiek van de darmen vermindert, terwijl de noradrenaline die zij afscheiden de hartslag en de bloeddruk verlaagt en de darmactiviteit verhoogt. Verder legde ik hem uit dat de darmen het beste functioneren wanneer men ontspannen is. Men kan de darmen niet dwingen te werken. Zij werken het beste zonder bewuste bemoeienis.

Ik raadde John aan om iedere dag een aantal ontspanningsoefeningen te doen. Verder schreef ik ginseng en vitamine B-complex voor als middelen tegen de stress en stelde hem voor yoga of meditatie te gaan doen. Hij knapte lichamelijk erg op, maar belangrijker was dat hij zich bewust werd van de gevolgen van zijn stressvolle manier van leven en nu op zoek is naar ander werk. Hij werd zich ook bewust van andere aspecten van zijn levenswijze, vooral zijn eetgewoonten en het belang van het hebben van voldoende energie om naast zijn werk te kunnen genieten van zijn gezin.

Er voltrok zich een indrukwekkende verandering in deze man. Stress kan positief zijn: het kan de aanzet geven tot zinvolle veranderingen in uw leven.

Het omgaan met stress

Aan het omgaan met chronische stress, tegenwoordig vaak 'stress-management' genoemd, zou ik een heel boek kunnen wijden. Dit onderwerp heeft immers vele facetten. Heel vaak worden de veranderingen die zich in ons leven voordoen – verandering van betrekking, een nieuwe relatie, een ander huis – gezien als negatief of ongewenst. Maar zijn ze dat ook werkelijk? De mens heeft verandering nodig om te groeien. Helaas gaat deze groei gewoonlijk gepaard met pijn. Dergelijke veranderingen *lijken* door externe factoren te worden veroorzaakt. De meeste veranderingen ontstaan echter vanuit de behoefte om innerlijk te veranderen. Wanneer de omstandigheden in ons leven veranderen (de ontbinding van een huwelijk, kinderen die de deur uitgaan, het mislukken van een zakelijke onderneming, verlies van betrekking) schept dit een ruimte in ons leven, die ons in staat stelt tot innerlijke veranderingen te komen. Deze veranderingen zijn, hoe pijnlijk ze op het moment zelf ook zijn, altijd positief. Dit is misschien moeilijk om te geloven als men middenin een pijnlijk proces zit. Maar jaren later zullen we dit misschien inzien.

PRAKTIJKVOORBEELD 12: **Angela: borstkanker**

Drie jaar geleden kwam er een vrouw op mijn spreekuur, bij wie borstkanker met uitzaaiingen in lever en botten was geconstateerd. Bij haar derde bezoek vertelde ze mij dat ze blij was dat ze kanker had gekregen! Ik had nog nooit een kankerpatiënt zoiets horen zeggen en vroeg haar wat zij bedoelde.
Zij antwoordde: 'Kanker heeft me geholpen de schoonheid te zien van de dingen om mij heen. Ik heb altijd al van bloemen gehouden, maar ik had het altijd te druk om tijd in mijn tuin door te brengen. Op weg naar en van mijn werk liep ik altijd door de voortuin, maar ik had nooit tijd om er gewoon van te genieten. Omdat ik weet dat ik misschien niet lang meer te leven heb, loop ik tegenwoordig vaak even de tuin in, raak de narcissen aan, ruik eraan, praat er tegen, en ben ik me bewust geworden van hun schoonheid. Ook ben ik me bewust geworden van de schoonheid van bomen en dieren. Ik zie nu de schoonheid in mensen en zou willen dat zijzelf het ook konden zien. En ik ben me bewust geworden van de schoonheid in mezelf.'
Een opmerkelijke verklaring voor een vrouw over wie het doodvonnis was uitgesproken. Hoewel de diagnose van borstkanker haar in het begin had beangstigd en negatieve gevoelens bij haar had opgeroepen, had dit haar ertoe aangezet bewuster te gaan leven. Ze had een diep spiritueel bewustzijn van de schoonheid in de schepping ontwikkeld. Kanker had haar hierbij geholpen. Zij had zo'n grote mate van bewustheid bereikt, dat zij niet langer bang was voor de dood.

Stressvolle gebeurtenissen kunnen positieve aspecten hebben, maar om deze te kunnen ontdekken moeten we onze gedachten en onze energie erop richten. Stress, tegenslag en verandering kunnen ons enorm stimuleren en motiveren. Zij kunnen ons zeer veel over onszelf leren. Zoals een

leraar mij eens zei: 'Verandering is het enige waarvan je verzekerd bent in het leven, en de dood is slechts een van die veranderingen.'
André, de jongeman met ernstige astma in praktijkvoorbeeld 10, werd als het ware een ander mens als gevolg van zijn ziekte. Een lichamelijke ziekte, astma, bracht een groot aantal innerlijke veranderingen teweeg die pijnlijk en moeilijk, maar positief waren. Tegenwoordig heeft hij een veel beter inzicht in zichzelf en anderen.
Stress kan de aanleiding zijn om hulp te zoeken, bij een arts, een psycholoog, een adviseur, of zelfs een vriend. Dit brengt een reeks gebeurtenissen op gang die kunnen resulteren in innerlijke groei, vaak in de vorm van een beter inzicht in onszelf en alles wat zich om ons heen afspeelt.
Tijdens de workshops in het omgaan met stress die ik samen met andere therapeuten geef, proberen we een hoger niveau van bewustheid bij de deelnemers te bewerkstelligen. We helpen mensen om bewuster te leven door middel van Tibetaanse en Indiase meditatie, door muziek en dans, door zelfhypnose en visualisering. We geven deze cursussen gewoonlijk in het weekend. Dit geeft mensen de kans om de dagelijkse sleur te doorbreken. We stimuleren hen zich te richten op de positieve kant van zelfs de meest tragische gebeurtenissen in het leven, en de grootste obstakels van menselijk geluk, boosheid en angst te onderkennen en er uiting aan te geven. Pijn en ziekte vinden vaak hun oorsprong in boosheid of angst. Wanneer men de moed heeft om deze gevoelens onder ogen te zien kan er een enorme persoonlijke groei plaatsvinden en krijgt men oog voor de schoonheid in zichzelf. Wij zijn dan in staat onszelf te accepteren zoals we zijn, waardoor we ons prettiger voelen en evenwichtiger in het leven staan.
Stress-management richt zich op het innerlijk en helpt ons de positieve kant van onszelf te zien. Dit kan men alleen leren 'met vallen en opstaan'; oefeningen die het bewustzijn verhogen kunnen daarbij een goede dienst bewijzen. Het luisteren naar anderen die over hun ervaringen spreken heeft niet zoveel zin, we moeten de dingen zelf ervaren.
Op onze weekendcursussen begint de dag meestal om 7 uur 's ochtends met een dynamische meditatie. Dat is lichamelijk zwaar, maar legt het fundament voor een diepe meditatieve ervaring. Dit duurt ongeveer een uur en wordt gevolgd door een stille wandeling door de natuur van 30 minuten, gevolgd door een licht ontbijt van water, fruit en kruidenthee. De hele dag door proberen we een evenwicht te creëren tussen lichamelijke activiteit, creatieve bezigheden, perioden van stilte, ontspanning (waaronder zwemmen en saunabezoek) en facultatieve activiteiten. Na een paar dagen beginnen er veranderingen op te treden, maar deze worden soms pas een paar dagen of zelfs weken later manifest.
Mijn manier om mensen te leren omgaan met stresssituaties is: het doen van een aantal door mij ontwikkelde oefeningen in een veilige omge-

ving, waarin een ieder uiting kan geven aan zijn of haar diepste gevoelens. Onvoorwaardelijke steun en acceptatie van de deelnemers zijn hierbij noodzakelijk. Alleen op deze manier kunnen zinvolle veranderingen in elk van ons plaatsvinden.
Iemand vroeg me eens om in één zin te zeggen hoe de stress van de hedendaagse maatschappij het best kan worden overwonnen. Mijn antwoord luidde: 'Wees jezelf en probeer niet langer te beantwoorden aan het beeld dat anderen van je hebben. Wanneer je volkomen jezelf bent, gaat de rest vanzelf en word je boven verwachting beloond.' Het doel van onze weekend-workshops is mensen de ruimte te geven om zichzelf te zijn.

Conclusie

In dit boek heb ik willen aantonen dat het heel goed mogelijk is om infecties te behandelen zonder gebruik van antibiotica. Antibiotica worden pas de laatste vijftig jaar commercieel geproduceerd; voor die tijd werden infecties op andere manieren behandeld.
Sommige van de middelen die ik met veel succes in mijn praktijk gebruik staan in dit boek beschreven. Ik hoop dat zij zich de komende jaren in een steeds grotere populariteit mogen verheugen. Het grootste probleem waarop ik ben gestuit is het feit dat deze geneesmiddelen lang niet in alle apotheken en reformwinkels te koop zijn. In Nederland, Duitsland en Frankrijk zijn 'alternatieve' geneesmiddelen (homeopathische middelen, geneeskrachtige kruiden, voedingssupplementen en combinaties hiervan) in vrijwel alle apotheken verkrijgbaar. Helaas is dit in Ierland en Groot-Brittannië niet het geval. Ik hoop oprecht dat hierin spoedig verandering zal komen.
Hierna volgt wat praktische informatie voor het geval u afwilt van het gebruik van antibiotica en u uw heil zoekt in de alternatieven die ik heb aanbevolen.

Het behandelen van een acute infectie
1. Neem hoge doses vitamine C in.
Dosering voor volwassenen: twee dagen lang 10.000 mg per dag, daarna twee dagen 5000 mg per dag, vervolgens een week lang een dagelijkse onderhoudsdosis van 2000-3000 mg.
Voor kinderen beneden de twaalf jaar is de dosering afhankelijk van de leeftijd.
Vitamine C is in deze dosering gewoonlijk voldoende om de infectie onder controle te krijgen. Soms, vooral bij ernstige infecties, zijn nog hogere doses nodig. In een enkel geval kan het noodzakelijk zijn om vitamine C intraveneus toe te dienen. Artsen in de VS hebben aangetoond dat ernstige infecties, zoals hersenvliesontsteking en longontsteking, op deze manier kunnen worden behandeld.

2. Gebruik Echinacea.
Dosering van Echinacea in de vorm van een vloeibaar kruidenextract (tinctuur): zeven tot tien dagen lang driemaal daags 2-4 ml.
Of:
Dosering van Echinacea in de vorm van een homeopathisch complexmiddel: eerst 20 druppels en daarna twee dagen lang een aantal keren (tot

zes keer) per dag 10 druppels. Als de infectie is overwonnen nog een week lang driemaal daags 10 druppels.
Bij ernstiger infecties verdient het aanbeveling om Echinacea compositum in ampulvorm toe te dienen, oraal of door intramusculaire injectie. Dit geneesmiddel kan tweemaal daags worden gebruikt totdat de symptomen van de infectie verminderen, en daarna nog tien dagen lang eenmaal per dag.
Als de infectie wordt veroorzaakt door virussen, bijvoorbeeld een verkoudheid of griep, kan Echinacea compositum worden gebruikt in combinatie met het antivirale middel Engystol in ampulvorm.

3. Drink veel, neem voldoende rust en wees voorzichtig met wat u eet.

Deze drie simpele maatregelen kunnen worden toegepast om een infectie snel te overwinnen. Als u echter merkt dat deze maatregelen geen effect hebben, raadpleeg dan een homeopathisch arts.

Het gebruik van een antibioticum
Als u meteen al een antibioticum wilt gebruiken, of wanneer de hiervoor genoemde maatregelen geen effect hebben gehad, raad ik u aan het volgende te doen:

1. Overtuig u van de noodzaak van het gebruik van een antibioticum.
Laat uw huisarts een uitstrijkje of een sputum-, urine- of ontlastingsmonster nemen. Onderzoek in het laboratorium zal uitwijzen of het om een bacteriële infectie gaat. Het gebruik van antibiotica heeft alleen zin wanneer de infectie wordt veroorzaakt door bacteriën, niet door virussen!

2. Gebruik gedurende de antibioticakuur biogarde of een bacterieel supplement.
In de jaren '40 en '50, toen antibiotica voor het eerst op de markt kwamen, gaven artsen hun patiënten dit advies. De nuttige bacteriën in biogarde en bacteriële supplementen bieden bescherming tegen sommige bijwerkingen van antibiotica.

3. Neem gedurende de antibioticakuur extra vitamine C in.
Onderzoeken hebben aangetoond dat het gebruik van vitamine C in combinatie met een antibioticum resulteert in een hoger gehalte van het antibioticum in het bloed en daarmee het geneesmiddel effectiever maakt. Vitamine C verhoogt ook uw weerstand en helpt uw lichaam in de strijd tegen de infectie.

4. Gebruik Echinacea.
Omdat sommige antibiotica delen van het immuunsysteem kunnen verzwakken, is het verstandig om Echinacea te gebruiken. Echinacea staat immers bekend om zijn vermogen om de immuniteit te versterken.
Gebruik Echinacea, het verse kruid of als homeopathisch preparaat, in de eerder aangegeven dosering. Aangetoond is dat Echinacea, gecombineerd met een antibioticum, de duur van de infectie aanmerkelijk kan verkorten. Onderzoek hiernaar is verricht in Duitsland, waar Echinacea wordt beschouwd als een zeer nuttige aanvulling op de behandeling van ziekten met antibiotica.

Door gedurende de antibioticakuur een bacterieel supplement, vitamine C en Echinacea te gebruiken verkort u niet alleen de duur van de infectie, maar beschermt u ook uw lichaam tegen een aantal bijwerkingen van het gebruik van antibiotica. N.B.: gebruik alleen een antibioticum wanneer u zeker weet dat het om een bacteriële infectie gaat.

Ik geloof in oude en vertrouwde methoden, methoden die simpel en natuurlijk zijn, methoden die iedereen kan toepassen. Geneesmiddelen worden tegenwoordig steeds duurder en dit maakt het grote groepen in de samenleving moeilijk om ze te verkrijgen, vooral wanneer ze buiten het vergoedingenpakket van de ziektekostenverzekering vallen. Ook commerciële ondernemingen hebben de natuurlijke geneesmiddelen inmiddels ontdekt. Wijsheid en respect voor de natuur gaan over het algemeen niet goed samen met op winst gerichte ondernemingen. Toch is de wijsheid die van generatie op generatie is doorgegeven van essentieel belang om te overleven. Deze wijsheid, evenals een diep respect voor de natuur, vinden we nog onder de inheemse Afrikaanse stammen en de Amerikaanse indianen.
Het is bemoedigend om te zien dat de belangstelling voor deze mensen en hun gewoonten toeneemt, vooral van blanke westerlingen, dezelfde mensen die hen bijna uitroeiden! Ik ben blij dat ik getuige mag zijn van deze verandering en van een meer holistische kijk op de geneeskunde en op het leven.

We kunnen het positieve alleen op waarde schatten door het negatieve te ervaren. Alleen door pijn en lijden kunnen belangrijke veranderingen plaatsvinden. De veranderingen die tegenwoordig plaatsvinden houden een belofte in. Wanneer onze kinderen zelf weer kinderen zullen hebben, zullen zij profiteren van deze veranderingen en zal hun wereld minder bedreigend en hun leven minder stressvol zijn.

Ik hoop dat u wijzer bent geworden door het lezen van dit boek en dat het niet te technisch is geweest. Laat me weten wat u ervan vindt en misschien kunnen uw opmerkingen dan in een herdruk van dit boek worden verwerkt.
Ik wens u en de uwen het beste. Moge u gelukkig en gezond leven.

Bibliografie

Hoofdstuk 1

Chain, E., H.W., Gardner, A.D. et al., Penicillin as a Chemotherapeutic Agent, *The Lancet* Vol. 1, 226-8 (1940)

Cowen, D.L. and Segelman, A.B., *Antibiotics in Historical Perspective*, New Jersey, Merck Sharpe & Dohme 1981

Fleming, A. (ed.), *Penicillin: Its Practical Application*, London, Butterworth 1946

Levy, S.B., *The Antibiotic Paradox*, New York, Plenum Press 1992

McFarlane, G., *Alexander Fleming: The Man and the Myth*, London, Chatto & Windus 1984

Hoofdstuk 2

Barnes, P.F. and Barrows, S.A., Tuberculosis in the 1990s', *Annals of Internal Medicine* Vol. 119(5), 400-410 (1993)

Bloom, B.R. and Murray, C.J., Tuberculosis: Commentary on a re-emergent killer, *Science* Vol. 257, 1055-64 (1992)

Chandler, D. and Dugdale, A.E., What do patients know about antibiotics?, *British Medical Journal* Vol. 8, 422 (1976)

Holmberg, S.O., Osterholm, M.T., Senger, K.A. and Cohen, M.L., Drug resistant Salmonella from animals fed anti-microbials, *New England Journal of Medicine* Vol. 10, 311 (1984)

Kitamoto, O. et al., On the drug resistance of Shigella strains isolated in 1955, *Journal of the Japanese Association for Infectious Diseases* Vol. 30, 403-5 (1956)

Kunin, C.M., Resistance to anti-microbial drugs – a worldwide calamity, *Annals of Internal Medicine* Vol. 118(7), 557-61 (1993)

Leclercq, R., Derlott, E., Duval, J. and Courvalin, P., Plasmidmediated resistance to vancomycin and teicoplanin in Enterococcus faecium, *New England Journal of Medicine* Vol. 319(3), 157-61 (1988)

Levy, S.B., Antibiotic availability and use: consequences to man and his environment, *Journal of Clinical Epidemiology* Vol. 44 Suppl. 2, 835-75 (1991)

Levy, S.B., Confronting multi-drug resistance: a role for each of us, *Journal of the American Medical Association* Vol. 269(14), 1840-42 (1993)

Levy, S.B., Burke, J. and Wallace, E. (eds), Antibiotic use and antibiotic resistance worldwide, *Review of Infectious Diseases* Vol. 9 Suppl. 3, 5231-316 (1987)

Mcleod, G., *A Veterinary Materia Medica*, Essex, Saffron Walden 1983

Mare, I.J. and Coetze, J.N., The incidence of transmissible drug resistance factors among strains of E. coli in the Pretoria area, *South African Medical Journal* Vol. 40, 620-22 (1966)

Mare, I.J., Incidence of R-factors among Gram-negative bacteria in drug-free human and animal communities, *Nature* Vol. 220, 1046-7 (1968)

Monaghan, C. et al., Antibiotic resistance and R-factors in the faecal coliform flora of urban and rural dogs, *Antimicrobial Agents and Chemotherapy* (1981)

Ochiai, K., Totani, T. and Toshiki, Y., Shigella strains resistant to three antibiotics. Epidemic caused by triply resistant Shigella strains in Nagoya, *Nihon Iji Shimpo* No. 1837, 25-37 (1959)
Ofek, I. et al., Anti E. coli adhesion activity of cranberry and blueberry juices, *New England Journal of Medicine* Vol. 324(22), 1599 (1991)
Schwalbe, R.S., Stapleton, J.T. and Gilligan, P.H., Emergence of vancomycin resistance in coagulase-negative Staphylococci, *New England Journal of Medicine* Vol. 316(15), 927-31 (1987)
Skurray, R.A., Rauch, D.A., Lyon, B.R. et al., Multi-resistant Staphylococcus aureus: genetics and evolution of epidemic Australian strains, *Journal of Antimicrobial Chemotherapy* Suppl. C, 19-39 (1988)
Swartz, W. et al., *Human health risks with the subtherapeutic use of penicillins or tetracyclines in animal feed,* Washington DC, National Academy Press 1989
Welch, G.H., Antibiotic resistance: a new kind of epidemic, *Postgraduate Medicine* Vol. 6, 76 (1984)
Wolfe, S.M., Antibiotics, *Health Letter,* Washington DC, The Public Citizens Health Research Group 1989

Hoofdstuk 3

Barnes, P.F. and Barrows, S.A., Tuberculosis in the 1990s', *Annals of Internal Medicine* Vol. 119(5), 400-410 (1993)
Cantekin, E.I. et al., Anti-microbial therapy for Otitis media with effusion, *Journal of the American Medical Association* Vol. 266(23), 3309-17 (1991)
Diamont, M. and Diamont B., Abuse and timing of antibiotics in acute Otitis media, *Archives of Otolaryngology* Vol. 100, 226-32 (1974)
Hauser, W.E. and Remington, J.S., Effect of antibiotics on the immune system, *American Journal of Medicine* Vol. 72(5), 711-15 (1982)
Laurence, D.R. and Bennett, P.N., *Clinical Pharmacology,* Edinburgh, Churchill Livingstone 1980
Londymore-Lim, L., *Poisonous Prescriptions,* Australia, Prevention of Disease & Disability 1994
Neu, H.C. and Henry, S.P., Testing the physician's knowledge of antibiotic use, *New England Journal of Medicine* Vol. 293, 1291 (1975)

Hoofdstuk 5

Bain, J., Murphy, E. and Ross, F., Acute Otitis media: clinical cause among children who received a short course of high-dose antibiotic, *British Medical Journal* Vol. 291, 1243-6 (1985)
Cantekin, E.I. et al., Anti-microbial therapy for Otitis media with effusion, *Journal of the American Medical Association* Vol. 266(23), 3309-17 (1991)
Freinberg, N. and Lyte, T., Adjunctive ascorbic acid administration and antibiotic therapy, *Journal of Dental Research* Vol. 36, 260-62 (1957)
Hull, D. and Johnston, D.I., *Essential Paediatrics,* Edinburgh, Churchill Livingstone 1981
Kendig, E.L., *Disorders of Respiratory Tract in Children,* Philadelphia, Saunders 1977
Klein, J.O., Microbiology and Management of *Otitis media', Paediatrician* Vol. 8

Suppl. 1, 10-25 (1979)
Krugman, S., Ward, R. and Katz, S.L., *Infectious Diseases of Children,* St Louis, Mosby 1977
Schmidt, M.A., *Childhood Ear Infections: What every parent and physician should know,* California, North Atlantic Books 1990
Williams, H.E. and Phelan, P.D., *Respiratory Illness in Children,* Oxford, Blackwell Scientific 1975

Hoofdstuk 6

Algemeen

British Herbal Medicine Association Scientific Committee, *British Herbal Pharmacopoeia,* Vols. 1,2 & 3, London, British Herbal Medicine Association 1983
Mowrey, D.B., *The Scientific Validation of Herbal Medicine,* Connecticut, Keats Publishing 1986

Echinacea

Coeugneit, E. and Kühnast, R., Recurrent Candidiasis adjuvant immuno-therapy with different formulations of Echinacea, *Therapiewoche* Vol. 36, 3352 (1986)
Freyer, H.U., Frequency of common infections in childhood and likelihood of prophylaxis, *Fortschritte der Therapie* Vol. 92, 165 (1974)
Hobbs, C., *The Echinacea Handbook,* California, Botanica Press 1989
James, J. *AIDS Treatment News* Vol. 19 (1986)
Lloyd, J.U., *A Treatise on Echinacea,* Cincinnati, Lloyd Brothers 1917
McLoughlin, G., Echinacea, A Literature Review, *Australian Journal of Medical Herbalism* Vol. 4, 104-11 (1992)
Wacker, A. and Hilbig, W., Virus inhibition by Echinacea purpurea, *Planta Medica* Vol. 33, 89 (1978)

Wilde indigo (Baptisia)

Beuscher, N. and Kopanski, L., Stimulation of the immune response with substances derived from Baptisia tinctoria, *Planta Medica* Vol. 5, 381-4 (1985)
Beuscher, N., Beuscher, H. and Bodinet, C., Enhanced release of interleukin-I from mouse macrophages by glycoproteins and polysaccharides from Baptisia tinctoria and Echinacea spp., *37th Annual Congress on Medicinal Plant Research,* Braunschweig 1989
Culbreth, D., *A Manual of Materia Medica and Pharmacology,* Oregon, Ecletic Medical Publications 1983
Moerman, D.E., *American Medical Ethno-botany,* New York, Garland Publishers 1977

Usnea

Johnson, R.B. et al., The mode of action of antibiotic, usnic acid, *Archives of Biochemistry and Biophysics* Vol. 28, 317-23 (1950)
Wagner, H. and Proksch, A., Immuno-stimulating drugs from fungi and higher plants in *Progress in Medicinal and Economic Plant Research* Vol. 1, London, Academic Press 1983
Weiss, R.F., *Herbal Medicine,* Beaconsfield, Beaconsfield Pub. 1988

Mirre en andere geneeskrachtige kruiden
Grieve, M., *A Modern Herbal,* New York, Dover 1971
Wren, R.C. and Wren, R.W. (eds.), *Potter's New Cyclopaedia of Botanical Drugs and Preparations,* Holsworthy, Health Science Press 1975

Thuja
Goullon, H., *Thuja occidentalis,* Leipzig, Gustav Engelverlag
Halter, K., Innerliche Behandlung juveniler Warzen mit Thuja occidentalis, *Dermatologische Wochenschrift* Vol. 120, 353-5 (1949)
Khurana, S.M.P., Effect of homeopathic drugs on plant viruses, *Planta Medica* Vol. 20, 142-6 (1971)
Weiss, R.F., *Lehrbuch der Phytotherapie,* Stuttgart, Hippocrates Verlag 1980

Hoofdstuk 7
Campbell, A., *The Two Faces of Homeopathy,* London, Hale 1984
Castro, D. and Nogueira, G., Use of the nosode meningococcinum as a preventive against meningitis, *Journal of the American Institute of Homeopathy* Vol. 68, 211-19 (1975)
Castro, M., *The Complete Homeopathy Handbook,* London, Macmillan 1990
Coulter, H.L., *Homeopathic Science and Modern Medicine: The Physics of Healing with Microdoses,* California, North Atlantic Books 1987
Gaucher, C., Jeulin, D. and Peycru, P., Homeopathic treatment of cholera in Peru: an initial clinical study, *British Homeopathic Journal* Vol. 81, 18-21 (1992)
Reckweg, H.H., *Materia Medica Homeopathica Anti-homotoxica,* Baden-Baden, Aurelia Verlag 1983
Schmidt, M.A., Smith, L.H. and Sehnert, K.W., *Beyond Antibiotics,* California, North Atlantic Books 1993
Tyler, M., *Homeopathic Drug Pictures,* London, Health Science Press 1970
Vithoulkas, G., *Homeopathy: Medicine of the New Man,* Wellingbourough, Thorsons 1985
Vithoulkas, G., *The Science of Homeopathy,* Wellingborough, Thorsons 1986

Hoofdstuk 8
Algemeen
Beukes, V., *Killer Foods of the Twentieth Century,* Johannesburg, Perskor 1974
Bieler, H.M., *Food is Your Best Medicine,* London, Neville Spearman 1968
Budd, M.L., *Low Blood Sugar (hypoglycaemia) – the 20th century epidemic?,* Wellingborough, Thorsons 1984
Chavance, M. et al., Nutritional support improves antibody response to influenza virus in the elderly, *British Medical Journal* Vol. 11(9), 1348-9 (1985)
Cheraskin, E., *Diet and Disease,* Connecticut, Keats Publishing 1968
Kumar, A., Weatherly, M. and Beaman, D.C., Sweeteners, flavourings and dyes in antibiotic preparations, *Paediatrics* Vol. 87(3), 352-9 (1991)
Millstone, E. and Abraham, J., *Additives,* London, Penguin 1988
Newberne, P. and Williams, G., Nutritional influences on the course of infections in Dunlop, R.H. and Moon, H.W. (eds.), *Resistance to Infectious Disease,* Canada, Saskatoon Modern Press 1970

Pfeiffer, C.C., *Total Nutrition,* London, Granada 1982
Sanchez, A. et al., Role of sugar in human neutrophilic phagocytosis, *American Journal of Clinical Nutrition* Vol. 26, 180 (1973)
Sandler, B.P., *Diet Prevents Polio,* The Lee Foundation for Nutritional Research (1951)
Select Committee on Nutrition and Human Needs, *Dietary Goals for the United States,* Washington DC, U.S. Senate 1977
Stitt, P.A., *Fighting the Food Giants,* Wisconsin, Natural Press 1980
Vogel, H.C.A., *The Nature Doctor,* Edinburgh, Mainstream 1990
Ward, N.I. et al., The influence of the chemical additive tartrazine on the zinc status of hyperactive children – a double-blind placebo-controlled study, *Journal of Nutritional Medicine* Vol. 1, 51-7 (1990)
Williams, R.J., *Nutrition Against Disease,* London, Pitman 1971
Wilson, F.A., *Food Fit for Humans,* London, Daniel 1975

Biogarde
Alm, I., Leiyenmark, C.E., Persson, A.K. and Midvedt,T., The Regulatory and Protective Role of the Normal Microflora, *Wenner-Gren International Symposium Series* (1988)
Barefoot, S. and Klaenhammer, T.R., Detection and activity of Lactacin B, a bacteriocin produced by Lactobacillus acidophilus, *Applied and Environmental Microbiology* Vol. 45, 1808 (1983)
Bullen, C.L., Tearle, P.V. and Willis, A.T., Bifidobacteria in the intestinal tract of infants: an in vivo study, *Journal of Medical Microbiology* Vol. 9, 325 (1975)
Byssen, H., *Role of the gut micro-flora in metabolism of lipids and sterols, Proceedings of the Nutrition Society* Vol. 32, 59 (1973)
Colombel, J.F., Cartol, A., Newt, C. and Romond, C., *Yoghurt with Bifidobacterium longum reduces erythromycininduced gastro-intestinal effects,* The Lancet Vol. 2, 43 (1987)
Goldin, B.R. and Gorbach, S.L., Alterations of the intestinal flora by diet, oral antibiotics and Lactobacillus, *Journal of the National Cancer Institute* Vol. 73, 689 (1984)
Gordon, D., Macrea, J. and Wheather, D.M., A Lactobacillus preparation for use with antibiotics, *The Lancet* Vol. 272, 889 (1957)
Hamdan, I.T. et al., Acidolin: an antibiotic produced by Lactobacillus acidophilus, *Journal of Antibiotics* Vol. 27, 631 (1974)
Kim, H.S. and Gilliland, S.E., Lactobacillus acidophilus as a dietary adjunct for milk to aid lactose digestion in humans, *Journal of Diary Science* Vol. 66, 959 (1983)
Lipid Research Clinics Program, The lipid research clinics coronary primary prevention trials results: Reduction in the incidence of coronary heart disease, *Journal of the American Medical Association* Vol. 251, 351 (1984)
Mann, G.V., A factor in yoghurt which lowers cholesteremia in man, *Atherosclerosis* Vol. 26(3), 335-40 (1977)
Mann, G.V. and Spoerry, A., Studies of a surfactant and cholesteremia in the Masai, *American Journal of Clinical Nutrition* Vol. 27, 464 (1974)
Shahani, K.M. and Ayebo, A., Role of dietary lactobacilli in the gastro-intestinal microecology, *American Journal of Clinical Nutrition* Vol. 33, 2448 (1980)

Hoofdstuk 9

Vitamine C (tijdschriften)

Anderson, R. et al., The effects of increasing weekly doses of ascorbate on certain cellular and hormonal immune functions in normal volunteers, *American Journal of Clinical Nutrition* Vol. 33, 71 (1980)

Beisel, W., Edelman, R. et al., Single nutrient effects of immunologic function, *Journal of the American Medical Association* Vol. 245, 53-8 (1981)

Bright-See, E., Vitamin C and cancer prevention, *Seminars in Oncology* Vol. 10(3), 294-8 (1983)

Cameron, E. and Pauling, L., Supplemental ascorbate in the supportive treatment of cancer: prolongation of survival times in terminal human cancer, *Proceedings of the National Academy of Sciences* Vol. 73, 3685 (1976)

Dahl, H. and Degre, M., The effect of ascorbic acid on the production of human interferon and anti-viral activity in vitro, Acta Pathologica, *Microbiologica et Immunologica Scandinavia B* Vol. 84, 280 (1976)

Dieter, M., Further studies on the relationship between vitamin C and thymic hormonal factor, *Proceedings of the Society for Experimental Biology and Medicine* Vol. 136, 316-22 (1971)

Fraser, R.C. et al., The effect of variations in vitamin C intake on the cellular response of guinea pigs, *American Journal of Clinical Nutrition* Vol. 33, 839 (1980)

Frei, B., England, L. and Ames, B.N., Ascorbate as an outstanding antioxidant in human blood plasma, *Proceedings of the National Academy of Sciences* Vol. 86, 6377 (1989)

Hoffer, A., Ascorbic acid and kidney stones, Canadian Medical Association Journal Vol. 132, 320 (1985)

Karlowski, T.R. et al., Ascorbic acid for the common cold: A prophylactic and therapeutic trial, *Journal of the American Medical Association* Vol. 231, 1038 (1975)

Kaul, T.N., Middleton, E. and Orga, P., Antiviral effect of flavinoids on human viruses, *Journal of Medical Virology* Vol. 15, 71-9 (1985)

Klein, M.A., The National Cancer Institute and ascorbic acid, *Townsend Letter for Doctors* (1991)

Klenner, F.R., Virus pneumonia and its treatment with vitamin C, *Journal of Southern Medicine and Surgery* Vol. 2 (1948)

Klenner, F.R., Massive doses of vitamin C and the virus diseases, *Journal of Southern Medicine and Surgery* Vol. 113(4) (1951)

Klenner, F.R., The use of vitamin C as an antibiotic, *Journal of Applied Nutrition* Vol. 6 (1953)

Leibovitz, B. and Siegel, B.V., Ascorbic acid, neutrophil function and the immune system, *International Journal of Vitamin and Nutrition Research* Vol. 48, 159 (1978)

Pauling, L., Evolution and the need for ascorbic acid, *Proceedings of the National Academy of Sciences* Vol. 67, 1643 (1970)

Pauling, L., The significance of the evidence about ascorbic acid and the common cold, *Proceedings of the National Academy of Sciences* Vol. 68, 2678-81 (1971)

Rivers, J.M., Safety of high level vitamin C ingestion, Applied Nutrition 3rd Conference on Vitamin C, *Annals of the New York Academy of Science* Vol. 498, 445-54 (1987)

Romney, S.L. et al., Plasma vitamin C and uterine cervical dysplasia, *American*

Journal of Obstetrics and Gynecology Vol. 151, 976-80 (1985)
Scott, J., On the biochemical similarities of ascorbic acid and interferon, *Journal of Theoretical Biology* Vol. 98, 235-8 (1982)
Shilotri, P.G. and Bhat, K.S., Effect of megadoses of vitamin C on bactericidal activity of leukocytes, *American Journal of Clinical Nutrition* Vol. 30, 1077 (1977)
Siegel, B.V. and Morton, J.I., Vitamin C and immunity: Influence of ascorbate on PGE2 synthesis and implications for natural killer cell activity, *International Journal of Vitamin and Nutrition Research* Vol. 54, 339 (1984)
Siegel, B.V., Enhanced interferon response to murine leukaemia virus by ascorbic acid, *Infection and Immunity* Vol. 10, 409 (1974)

Vitamine C (boeken)
Cheraskin, E., Ringsdorf, W.M. and Sisley, E.L., *The Vitamin C Connection,* Wellingborough, Thorsons 1983
Hornig, D., Vitamins and Minerals in Pregnancy and Lactation, *Nestlé Nutrition Workshop Series,* No. 16, 433-4, New York, Raven Press 1988
Kalokerinos, A., *Every Second Child,* Connecticut, Keats Publishing 1981
Pauling, L., *How to live longer and feel better,* New York, W.H. Freeman 1986
Pauling, L., *Vitamin C and the Common Cold,* San Francisco, W.H. Freeman 1970
Stone, I., *The Healing Factor, Vitamin C against Disease,* New York, Gromet & Dunlop 1972

Zink
Al-Nakib, M., Higgins, P.G., Barrow, I. et al., Prophylaxis and treatment of rhinovirus colds with zinc gluconate lozenges, *Journal of Antimicrobial Chemotherapy* Vol. 20, 893-901 (1987)
Bogden, J.D., Oleske, J.M., Munves, E.M. et al., Zinc and immunocompetence in the elderly: baseline data on zinc and immunity in unsupplemental subjects, *American Journal of Clinical Nutrition* Vol. 46, 101-9 (1987)
Brody, I., Tropical treatment of recurrent herpes simplex and post-herpetic erythema multiforme with low concentrations of zinc sulphate solution, *British Journal of Dermatology* Vol. 104, 191-4 (1981)
Bulkena, E.G., Zinc compounds, a new treatment in peptic ulcer, *Drugs under Experimental and Clinical Research* Vol. 15(2), 83-9 (1989).
Chandra, R.K., Excessive intake of zinc impairs immune responses, *Journal of the American Medical Association* Vol. 252, 1443-6 (1984)
Duchateau, J. et al., Beneficial effects of oral zinc supplementation on the immune response of old people, *American Journal of Medicine* Vol. 70, 1001-4 (1981)
Eby, G.A., Davis, D.A. and Halcomb, W.W., Reduction in duration of common colds by zinc gluconate lozenges in a double-blind study, *Antimicrobial Agents and Chemotherapy* Vol. 25, 20 (1984)
Fabris, N. et al., AIDS, zinc deficiency and thymic hormone failure, *Journal of the American Medical Association* Vol. 259, 839-40 (1988)
Hansen, M.A., Fernandes, G. and Good, R.A., Nutrition and Immunity: The influence of diet on auto-immunity and the role of zinc in the immune response, *Annual Review of Nutrition* Vol. 2, 151-77 (1982)
Katz, E. and Margolith, E., Inhibition of vaccinia virus maturation by zinc chloride,

Antimicrobial Agents and Chemotherapy Vol. 19, 213-7 (1981)
Prasar, A., Clinical biochemical and nutritional spectrum of zinc deficiency in human subjects: an update, *Nutrition Review* Vol. 41, 197-208 (1983)

Hoofdstuk 10

Angier, N., Chronic anger is a major health risk: studies find, *New York Times* (13 December 1990) (from papers presented at the 1990 conference of the American Heart Association)
Benson, H., *The Relaxation Response,* New York, Morrow 1975
Bombardelli, E., Cirstoni, A. and Liehi, A., The effect of acute and chronic ginseng saponins treatment on adrenal function, *Proceedings of the 3rd International Ginseng Symposium* (1980)
Boyce, T.W. et al., Influence of life events and family routines on childhood respiratory tract illness, *Paediatrics* Vol. 60(4), 609-15 (1977)
Cohen, S., Tyrrell, D. and Smith, A., Psychological stress and susceptibility to the common cold, *New England Journal of Medicine* Vol. 325, 606-12 (1991)
D'Angelo, L., Grimaldi, R., Carravaggi, M. et al., A double-blind placebo controlled clinical study on the effect of a standardised ginseng extract on psychomotor performance in healthy volunteers, *Journal of Ethnopharmacology* Vol. 16, 15-22 (1986)
Fulder, S.J., Ginseng and the hypothalamic-pituitary control of stress, *American Journal of Chinese Medicine* Vol. 9, 112-18 (1981)
Hoffmann, D., *The New Holistic Herbal,* London, Element 1990
Holmes, T.H. and Rahe, R.H., The Social Readjustment Scale, *Journal of Psychosomatic Research* Vol. 11, 213-18 (1967). (Reproduced with permission)
Moldofsky, H. et al., The relationship of interleukin-I and immune functions to sleep in humans, *Psychosomatic Medicine* Vol. 48, 309-15 (1986)
Pizzorno, J.E. and Murray, M.T., *A Textbook of Natural Medicine,* California, Prima 1988
Seyle, H., *Stress in Health and Disease,* London, Butterworths 1976
Simonton, O.C., Matthews-Simonton, S. and Creighton, J.L., *Getting Well Again,* London, Bantam 1980
Sobel, D. and Ornstein, R., *Healthy Pleasures,* Massachusetts, Addison-Wesley 1989

Register

Aardappelen 95
Abcessen 71, 73, 78, 83
Acrodermatitis enteropathica 113
Acupunctuur 64
Adrenaline 120, 123
Aften 74
Agropyron repens, *zie Kweekgras* 65
AIDS 85
Allergieën 68, 80, 100
Allicine 16, 75
Allium sativum, zie *Knoflook*
Alsem 75
Alvleesklier 18, 86, 96
Amalgaamvullingen 89
Amandelontsteking 69, 70, 71, 74, 83, 85, 88
Amikacine 45
Aminoglycosiden 45
Amoxycilline 23, 43, 44, 53, 98, 100
Ampicilline 22, 23, 100
Antibiotica 87
 allergische reacties 43
 darmproblemen 43
 geschiedenis 15
 bijwerking-behandeling 46, 86
 plantaardig 71
 resistentie 42
Antibioticakuur 46, 47, 78, 101, 130
 afmaken 47
 biogarde 130
 echinacea 131
Anticonceptiepil 98, 105
Antimonium 40
Antiseptisch 74
Apis mellifica 88
Artemisia absinthium, zie *Alsem*
Arteriosclerose 93
Artritis 110
Ascorbinezuur 110
Aspirine
 natuurlijke 65
 synthetische 64, 65
Astma 56, 80, 93, 94, 110, 118
Astralagus 68
Azijn 16

B-vitaminen 101
Baarmoederhalsdysplasie 111
Bacteriën 13, 16, 27, 28
 bodem- 20, 26
 goede 17, 98, 99
 gramnegatieve 23
 grampositieve 23
 mutaties 33
 resistentie 25
Bacteriesupplementen 101, 102, 105, 130
Baptisia tinctoria, zie *Wilde Indigo*
Belladonna 88
Bestralingstherapie 78, 79, 99, 104
Beten 68
Bewerkt voedsel 96
Bifidobacterium bifidus 43, 97, 99, 102
Bijnieren 96
 adrenaline 124
 cortison 124
 ginseng 124
 voedingssupplementen 124
Bilharzia 77
Biocinen 102
Biodophilus 46, 102
Biogarde 47, 97, 103, 104, 130
Biologisch-dynamisch voedsel 96
Bladgroenten 101
Bloeddruk, hoge 117
Bloedlichaampjes, witte 67, 68, 69, 72, 78, 107, 109, 113
Bloedstolling 101
Bloedsuikerspiegel 95
Bloeduitstortingen 101
Bloedvergiftiging 19
Bloedwateren 101
BMR-vaccins 56, 109
Bof 83
Borstkanker 126
Botbreuken 93
Brandwonden 68
Breed-spectrum-antibiotica 44
Bronchitis 54, 55, 56, 69, 70, 73, 76, 83
Bryonia 84
Buikkrampen 105
Buikpijn 44, 86

Calciumopname 99
Calendula officinalis, zie *Goudsbloem*
Candida spp. 20, 22, 58
Candidiasis 94, 95, 100
 intestinale 43
Cefalosporines 21, 22
Chain 18
Chamomilla 88
Chemotherapie 78, 79, 80, 104
Chloor 92
Chlooramfenicol 20, 22, 44
Chloortetracycline 22
Cholera 90
Cholesterol 75, 100
Ciproflox 31
Clindamycine 100
Cloxacilline 55
Commiphora molmol, zie *Mirre*
Cortison 120, 124
Cranberrysap 38, 59
Cyanose 55

Darmflora 86, 98-100,

103, 105
antibiotica 100
Darminfecties 103, 104
preventie 102
Darmplus 102
Diarree 58, 100
Dieren 29
antibiotica 29, 32
homeopathie 30
penicilline 30
resistentie 30
tetracycline 30
Difterie 19
DKTP-vaccin 56
Doxycycline 105
DTP-vaccin 56

E. coli 20, 31, 32, 35, 59
Eau Dalibour 16
Echinacea 70, 77, 84, 129
compositum 89
Echinacea angustifolia 67, 80
Echinacea compositum 84
Echinacea purpurea 65-67, 80
Eczeem 67, 68, 70, 80, 94
Efedrine 62
Energieketen 64, 92
Engystol 84
Enterococci 26
Esberitox 77, 78
Escherichia coli, zie *E. coli*
Eupatorium 84

Farmacologie, 62
Fibrose, cystische 57
Filipendula ulmaria, zie *Moerasspirea*
Flagyl 71
Fleming 33, 41
Fleming, A. 16, 18
Flora, bacteriele, zie *Darmflora*
Florey 18
Flucloxacilline 55
Fluoride 93
Fluoro-quinolones 23
Foliumzuur 101
Fotosynthese 63, 91
Fructose 95

Galium aparine, zie *Kleefkruid*
Gastro-enteritis, zie *Maag- en darmontsteking*
Geneeskunde
alternatieve 50
conventionele 49
Gentamycine 22, 37, 45
Gerson-dieet 63
Ginseng 124
Glucose 95
Glycoproteïnen 65, 69, 78
Gom 65
Gomhars 72
Gonorroe 19
Gordelroos 85
Gorgeldrank 74
Goudsbloem 74
Griep 26, 27, 52, 68, 73, 76, 83, 85

Hardlijvigheid 100, 103-105
Hartziekten 103, 117
Heemst 67
Hepatitis 85
Herpes 27
Hersenvliesontsteking 90, 107, 129
Herstelperiode 83
Hoest 56
Hoestmiddel 74
Homeopathie 40, 64, 88
complexmiddelen 83
klassieke 83, 87
Hondenvoer 31
Honing 15
Hooikoorts 80
Hormonale stoornissen 103, 117
Huidaandoeningen 69, 70, 71, 73, 74, 76
bacteriele 78
etterige 78
uitslag 95
wonden 67, 76
wratten 76
zweren 68, 74
Hyperglycaemie 96
Hypoglycaemie 96

IGA 58
Ignatia 88

Immuunsysteem 44, 46, 94, 98
emoties 120
tegen infecties 78
kanker 80
woede 121
Immuniteitsversterker 66, 68, 69, 70, 77, 79, 85, 102, 110
Immunol 79
zwangerschap 81
Impetigo 78
Infecties 58, 67, 68, 69, 72, 74, 83
alternatieve behandelmethoden 50
bacteriele 27, 46, 78, 80, 109
bij kinderen 52
bovenste luchtwegen 52, 54
conventionele behandelmethode 49
influenza- 84
onderste luchtwegen 54
preventief 80, 83
schimmel- 80
stafylokokken- 73, 84
streptokokken- 73, 84
stress 117
terugkerende 80, 94, 100, 112
terugkerende luchtweg- 57
virale 27, 46, 73, 80
Infectieziekten 83
behandeling na 1940 42
behandeling voor 1940 41
Influenza 84
Inhibine 15
Insuline 95
Interferon 110
Intuïtie 65
Ipecacuanha 84

Jeugdpuistjes 87

Kanamycine 45
Kanker 63, 78, 79, 80, 109
 dikke darm 99
 preventie 111
 therapieen
Karmozijnbes 68, 84
Kattenvoer 31
Keelontsteking 52, 69
Keelpijn 28, 53, 54, 68, 73, 74, 76, 78, 103
 met gele afscheiding 60
Kinderen 52
Kinderziekten 83
Kinine 62
Klebsiella pneumonia 38
Kleefkruid 68, 84
Kneuzingen 68
Knoflook 15, 74
Koffie 87
Koortsuitslag 73, 85
Koper 16
Kriebelhoest 74
Kroep 54
 bacteriele 54
 virale 54
Kruiden, geneeskrachtige 66
Kruidengeneeskunde 62
Kweekgras 65
Kwikvergiftiging 89
Kwikzilver 40
Kwikzilverafdrijver 89

Lachesis 84, 88
Lactobacillus
 acidophilus 43, 97, 99, 102, 103
 bulgaricus 97
Lariksmos 71
Leukemiecellen 111
Lever 79, 101, 115
Levy, dr. S. 17
Lichtenergie 91
Lincomycine 100
Longontsteking 19, 55, 71, 107, 129
 mycoplasma- 57
Luchtpijpontsteking 69
Luchtwegen 94
 onderste 69, 89
 -infecties 67, 69, 72, 74, 75, 78, 103
 virussen 76
Lycopodium 88
Lymfdrainage 68
Lymfocyten 69
Lysozyme 18

Maag- en darmontsteking 58, 85
Maagklachten 72
Maagwand 65
Macrofagen 67, 78
Malvoside 16
Mazelen 27, 56, 83
Medicijnen
 conventionele 66
 ontstekingremmende 87
 synthetische 64
Melkdistel 79, 115
Melkzuur 98, 103
Methicilline 22, 23
Metronidazol 71
Meyers bloedzuiveraar 67
Middenoorontsteking 53, 54, 60, 78
Miltvuur 17
Mineraaltekort 86, 94, 97, 106
Mirre 68, 70, 72
Moerasspirea 65
Molkosan 104
Mondinfecties 70
Mondslijmvliesontsteking 74
Mondspoeling 70, 74
Mondzweren 69
Muesli 93
Mycobacterium tuberculosis 42, 71

Natriumsalicylaat 64
Neisseria meningitidis 90
Neomycine 20, 45
Netillin 31
Neus, verstopte 86
Neusbloedingen 101
Neusslijmvliesontsteking 69
Neusverkoudheid 52, 69, 70
Nierstenen 110
Nosoden 84

Oflox 31
Oorklachten 44
Oorontsteking 47, 52, 68
Oorpijn 53, 86, 88
Opgeblazen gevoel 100
Opren 64
Oren, jeukende 86
Osteoporose 99

Pasteur, Louis 17, 74
Penicilline 18, 22, 28, 34, 41, 71
 notatum 18, 41
 spp. 16
Pfeiffer, ziekte van 79, 85
Plasmide 34[n]37
Polysachariden 65, 69, 78
Preventie 107
Prontosil rubrum 41
Pulsatilla 88
Pyocyanase 17

Radijs 16
Rafanine 16
Reserpine 62
Resistentie 20, 23, 25
 meervoudige medicijn- 35
Reuma 19
Revalidatie 80, 83
Reye, syndrome van 65
Rijst 95
Ringworm 71, 76
Rode hond 56
Roodvonk 19, 88

Salie 74
Salvarsan 18
Salvia officinalis, zie *Salie*
Schimmeldodend 76
Schimmelinfecties 74, 76, 95, 98, 101
Schimmels 16, 26
Septrine 41
Silybum marianum, zie *Melkdistel*

Simonton, Carl 117
Sinaasappels 106
Sjamanen 65
Slangenbeten 67
Slijmproductie 69, 74, 86, 94
Softenon 64
Spataderen 15
Spijsverteringskanaalinfecties 75, 76
Spoelwormen 75
Stafylokokken 20, 55, 68
Staphylococcus aureus 25
spp. 22, 41, 55, 58, 71
Steenpuisten 71, 73, 78, 83
Steken 68
Stemmingswisselingen 86
Steroïden 87
Stofwisseling 64
Streptococcus pneumonia 53, 55, 57
spp 41, 71
thermophilus 97
Streptokokken 19
hemolytische 53
Streptomycine 20, 22, 45
Stress 117
astma 118
bescherming 122
bijnieren 124
ginseng 125
kanker 118
lichaamsbeweging 123
management' 126
ontspanning 124
preventief 80
psyche 120
verkoudheid 119
woede 120
Stress-test 123
Strottenhoofdontsteking 69, 76
Suiker 93
Suikerziekte 45, 101
Sulfamethoxazol 41
Sulfonamiden 41, 44, 45
Syfilis 18
Synergetisch 80

T-lymfocyten 113, 120
Tandbederf 94
Tanden, doorkomen 88
Tandvleesontsteking 69, 74
Tannine 65
Tepels, pijnlijke 69, 70
Tetracycline 17, 22, 43, 44, 45, 86, 100, 105
Tetracycline-injeel 105
Tetracyclinekuren 86
Thee 87
Thuja 77, 80, 84, 88
Thymus accidentalis 75
Thymus vulgaris, zie *Tijm*
Tijm 74
Tobramycine 45
Toxiloges 83, 89
Transposonen 35[n]37
Trichomonas 71
Tuberculose 20, 42, 57, 109
Tumoren 74
Tyfus 21

Uien 15
Urineweginfecties 38, 59, 60, 68
Usnea barbata, zie *Lariksmos*
Usnisch zuur 71

Vaatziekten 103
Vaccinatie
homeopathische 89
Vancomycine 25
Verkoudheid 27, 68, 73, 76, 83, 85, 119
Vermoeidheid 28, 74, 86, 89
Virusinfecties 13, 16, 28, 52, 109
Vitamine C 47, 106, 130
ADH 107, 108
ascorbinezuur 110
hersenvliesontsteking 129
infectie 108
injecties 109
kanker 109
leukemie 111
longontsteking, 129
nierstenen 110
tuberculose 109
vaccinaties 109
wiegendood 108
Vitamine K2 101
Vitaminen 101
Vitaminetekorten 86, 97
Voeding 62
Voedingssupplementen 106
Voedingsvezels 99
Voetschimmel 71
Voorhoofdsholte-ontsteking 52, 67-71, 73, 80

Water 92, 130
Waterstofperoxide 15
Wee gevoel in de maag 86
Wei 103
Wei-kuren 103
Wiegendood 108
Wijn 16
Wilde indigo 65, 68, 77, 80, 84
Winderigheid 86, 100, 103
Wonden 68-70, 74
Wormaandoeningen 74, 75
Wratten
op genitalien 76
zie ook *Huidwratten*

IJzer 40

Zemelen 99
Zetmeel 95
Zink 52, 94, 106, 112
AIDS 113
ouderdomsverschijnselen 113
supplementen 114
tekort 115
Zuivelproductenallergie 53
Zwaarlijvigheid 103
Zweren 15